Virgile
L'*Énéide* (Ier siècle av. J.-C.)

Texte adapté par Martine Laffon
Chants I à VI

LE DOSSIER
L'*Énéide* ou l'épopée de Rome

L'ENQUÊTE
**Comment Rome a-t-elle dominé
le monde ?**

Notes et dossier
Nora Nadifi
Agrégée de lettres classiques

Collection dirigée par
Bertrand Louët

Sommaire

OUVERTURE

La louve de Rome.
Rome, musée de la civilisation romaine.

© Librairie Générale Française, Paris, 2012
© Hatier, Paris, 2013
ISBN : 978-2-218-97825-8

L'*Énéide* 11

* Tous les mots suivis d'un * sont définis dans le lexique p. 151.

Qui sont les personnages ?

Les personnages principaux

ÉNÉE

Prince troyen, pieux et courageux.
Rescapé de l'incendie de Troie, il s'enfuit
avec son père, son fils et ses compagnons,
à la recherche de la terre où il pourra
fonder une nouvelle ville.

Les personnages secondaires

ASCAGNE
Jeune fils d'Énée, il est aussi appelé Iule. Les dieux lui
prédisent un destin exceptionnel.

ANCHISE
Père d'Énée, il l'accompagne dans sa quête
et le guide par ses conseils.

DIDON
Reine de Carthage, elle tombe amoureuse
d'Énée à qui elle a offert l'hospitalité.

VÉNUS
Déesse de l'Amour et de la Beauté, elle est
la mère d'Énée et le protège tout au long
de son périple.

LA SIBYLLE DE CUMES
Prophétesse, elle permet à Énée d'accéder
aux Enfers grâce à un rameau d'or.

Quelle est l'histoire ?

Les circonstances

Depuis dix ans, les Grecs assiègent la cité de Troie, pour venger l'honneur du roi Ménélas, dont la femme Hélène a été enlevée par un prince troyen, Pâris. Grâce à une ruse, les Grecs s'emparent de la citadelle et la brûlent. Sous la conduite d'Énée, les survivants prennent la mer, et partent à la recherche de la terre que les dieux leur ont promise et où ils s'installeront.

Le début de l'action

1. Après dix ans de siège, les Grecs sont entrés dans Troie à l'aide d'un stratagème. Ils brûlent la ville. Énée et sa famille doivent s'enfuir.

2. Énée et ses compagnons errent sur la mer à la recherche de la terre où ils pourront s'installer. De nombreux danger leur font obstacle.

Virgile entre deux muses, début IIIe siècle.
Tunis, musée du Bardo.

Le but

Dans l'*Énéide*, Virgile raconte le destin glorieux du légendaire ancêtre des Romains, Énée, sous la forme brillante de l'épopée. Il écrit ainsi une œuvre à la gloire de Rome dont il inscrit les origines dans un passé légendaire illustre. Il honore aussi son tout premier empereur, Auguste.

3. Au cours d'un banquet, Didon embrasse Ascagne – en réalité, Cupidon métamorphosé par sa mère Vénus – et tombe amoureuse d'Énée.

4. La Sibylle, une prêtresse d'Apollon, accompagne Énée aux Enfers où le héros va revoir son père Anchise.

Qui est l'auteur ?

Buste de Virgile.
Rome, musée Capitolino.

VIRGILE

● UNE ÂME DE POÈTE

Publius Vergilius Maro (70-19 av. J.-C.), dit Virgile, est né près de Mantoue (en Gaule Césalpine). Il étudie les sciences, la philosophie et, à Rome, la rhétorique ; mais sa timidité naturelle ne le porte pas à devenir orateur ni à faire carrière en politique. Il se consacre à la poésie.

● PREMIERS SUCCÈS

Il se fait connaître par un recueil de poèmes pastoraux, les *Bucoliques*. Ces premières œuvres sont influencées par la pensée philosophique d'Épicure et la poésie alexandrine. Il devient l'ami des poètes de son temps et de Mécène, un riche lettré proche du futur empereur. Vers 38 av. J.-C. il publie les *Géorgiques*, poèmes qui chantent les vertus de l'agriculture et de l'élevage, thèmes hérités de la poésie grecque, et familiers à Virgile, élevé à la campagne.

● AU SERVICE D'UNE GRANDE ŒUVRE

Virgile a toujours eu le désir d'écrire une épopée : il consacre les dix dernières années de sa vie à ce projet, l'*Énéide*. Il veut offrir à Rome et à son prince, Auguste, une œuvre qui les glorifie mais aussi rivaliser avec le plus grand des poètes épiques, Homère. Au retour d'un voyage en Grèce, il tombe malade et meurt avant d'avoir achevé son œuvre.

	70 av. J.-C.	**59 av. J.-C.**	**49-42 av. J.-C.**
VIE DE VIRGILE	Naissance près de Mantoue	Mantoue intégrée dans l'Italie romaine	Vie à Naples auprès du philosophe épicurien Siron
HISTOIRE	**63 av. J.-C.** Consulat de Cicéron		**52 av. J.-C.** Victoire de Jules César contre Vercingétorix à Alésia

Que se passe-t-il à l'époque ?

Sur le plan politique

● LA FIN DE LA RÉPUBLIQUE

Après sa campagne des Gaules (58-52 av. J.-C.), Jules César s'oppose au général Pompée. Il le vainc en 48 av. J.-C., et reste seul maître de Rome. Nommé dictateur à vie, il est assassiné en 44.

● LA DERNIÈRE GUERRE CIVILE

Le bras droit de César, Marc Antoine, et son fils adoptif, Octave, se partagent le pouvoir mais s'affrontent à leur tour. En 31 av. J.-C., Marc Antoine et Cléopâtre sont vaincus à la bataille d'Actium, puis se donnent la mort.

● LE PRINCIPAT D'AUGUSTE

Octave est nommé Princeps (« Prince ») puis Augustus (« Saint »). Son accession au pouvoir met fin à des décennies de troubles et il apparaît comme le sauveur de la patrie.

Sur le plan artistique

● ÉLOQUENCE ET POUVOIR

Dans la haute société romaine, la culture et l'éducation sont à l'honneur. L'éloquence joue un rôle essentiel : par les discours les hommes de pouvoir convainquent leurs concitoyens et emportent les suffrages.

● UN NOUVEL ÂGE D'OR

Devenu Princeps en 27 av. J.-C., Octave Auguste promeut les valeurs romaines traditionnelles (piété, famille, retour à la terre) et mène une politique de grands travaux afin d'embellir la ville de Rome.

● LE « SIÈCLE D'AUGUSTE »

À cette période, les arts et la littérature vont au-delà de l'imitation des Grecs et tendent à les égaler. Les poètes augustéens les plus célèbres de la littérature latine sont Virgile, Horace et Ovide.

37 av. J.-C.	**37 av. J.-C.**	**29 av. J.-C.**	**19 av. J.-C.**	**17 av. J.-C.**
Voyage à Brindes avec Mécène et le poète Horace	Publication des *Bucoliques*	Publication des *Géorgiques*	Voyage en Grèce et mort de Virgile	Publication de l'*Énéide*

49 av. J.-C.	**44 av. J.-C.**	**31 av. J.-C.**	**27 av. J.-C.**	
César franchit le Rubicon : guerre contre Pompée	Mort de César	Bataille d'Actium	Début du principat d'Auguste	

L'*Énéide*

Les mots marqués d'un astérisque renvoient au lexique de la mythologie gréco-romaine p. 151 (pour les noms de personnages) ou à la carte p. 12 (pour les noms de lieux).

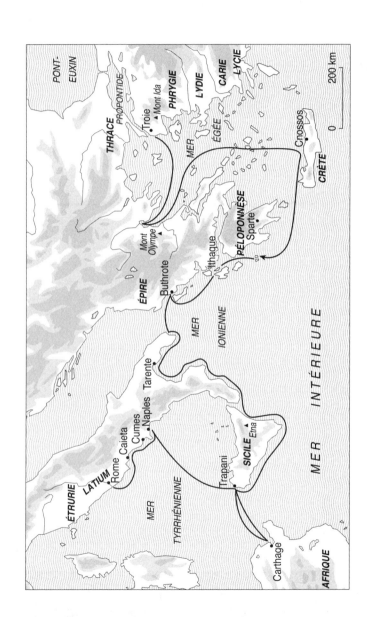

Je suis le fils d'une déesse et d'un mortel, et cette naissance a tracé mon destin. J'ai été élevé par les nymphes*, protégé par leurs soins attentifs jusqu'à ce qu'enfin, à l'âge de cinq ans, je retrouve mon père Anchise. Il est de sang royal, descendant de
5 Dardanos*, l'illustre ancêtre des Troyens. On dit que la beauté de mon père égalait celle des dieux. Vénus la déesse de l'Amour ne s'y est pas trompée. Dès qu'elle l'aperçoit, elle le désire et le veut pour époux. Elle se parfume le corps d'huiles odorantes, se pare de voiles resplendissants, passe à ses bras des bracelets d'argent,
10 à son cou des colliers d'or pour mieux le séduire. Et, le cœur léger, elle s'empresse de retrouver Anchise sur le mont Ida*, là où il fait paître ses troupeaux. Mais quel mortel souhaiterait s'unir à une déesse sachant que les dieux l'interdisent ? L'homme coupable d'une telle passion est puni d'une vieillesse prématurée.
15 Mais ma mère utilise toutes les ruses pour l'aimer. Elle se fait passer pour la fille d'Otrée, un roi de Phrygie*. Elle est si belle, si prévenante, si attirante, pourquoi ne pas la croire, comment ne pas la désirer ? Et l'air est si doux... Anchise l'entraîne sur sa couche et ils s'aiment.
20 Au petit matin, Vénus lui avoue qui elle est. Anchise est épouvanté d'avoir, involontairement, enfreint la loi des dieux. Qu'a-t-il fait ? Les divinités vont se venger ! Vénus lui promet alors non pas d'être vieux avant l'âge, mais d'être père d'un fils... Voilà de quelle étreinte je suis né, moi, Énée. Je n'ai
25 jamais connu ma mère autrement qu'en songe ou lorsqu'elle m'apparaît sous bien d'autres aspects. Souvent, pourtant, j'ai rêvé comme tous les enfants qu'elle me berçait dans ses bras pour me consoler. Quant aux dieux, ils punirent mon père en le rendant boiteux.

I

Un cheval dans Troie

30   Les saisons ont tourné et les cornes de la Lune[1] aussi. Je suis père à mon tour d'un fils, Ascagne, et quand je le vois parfois se blottir contre sa mère, Créuse, je suis attendri. Mais l'heure n'est pas aux sentiments, cela fait dix ans que nous Troyens, nous sommes en guerre contre les Grecs. Ils sont là sous nos remparts réclamant

35 notre mort. Ils veulent venger l'honneur de Ménélas● qu'un des nôtres, Pâris, le fils de Priam roi de Troie, a outragé en enlevant sa femme, la trop belle Hélène. Dix ans de guerre pour une femme ? Et tant de morts gisant dans la poussière, tant de larmes versées sur un fils, un frère ou un père. Les combats auraient-ils duré si

40 longtemps, si les dieux ne s'en étaient pas mêlés ? Junon*, la guerrière, excite les Grecs à la vengeance et fait tout pour nous perdre. Elle ne désire qu'une chose, que Troie et les Troyens disparaissent

---

1. **Cornes de la Lune** : il s'agit des pointes du croissant de lune.

● Ménélas est roi de Sparte : l'enlèvement de sa femme Hélène par Pâris, fils de Priam, a déclenché la guerre de Troie. Les Grecs, sous la conduite d'Agamemnon, roi de Mycènes et frère de Ménélas, assiègent Troie pendant dix ans.

de la terre. Ma mère la laissera-t-elle faire ? N'implorera-t-elle pas le dieu des dieux pour lui demander de sauver son fils et de changer, 45 puisqu'il le peut, le cours de son destin ? Jupiter ne la consolera-t-il pas, en acceptant de me protéger ?

La colère, la cruauté ou la bonté des dieux, je le sais, sont imprévisibles. Devant qui aujourd'hui faut-il s'agenouiller ? Sur quel autel[1] brûler l'encens et tous les sacrifices pour vivre enfin en 50 paix ?

Jour et nuit, je tremble pour les miens, pour les guerriers troyens, pour Anchise mon père, pour Ascagne mon fils et pour Créuse, mon épouse. Je les aime. Mais plus le temps passe, plus je sens que, même en mourant les armes à la main, je ne saurais 55 les protéger de la haine des Grecs et du destin tracé par les dieux. Achille*, leur héros, a tué le nôtre, Hector*, le plus noble et le plus courageux des fils de Priam. Ce Grec sans pitié a traîné son cadavre, derrière son char ; et si, devant tant d'ignominie, les dieux du ciel lui ont crié de cesser ce carnage, la paix pourtant n'est 60 pas pour aujourd'hui. Quelle ruse ces deux divinités, Minerve et Junon, inventeront-elles encore pour mieux nous anéantir ? Elles qui depuis dix ans nous haïssent, sans jamais faiblir.

Quel silence soudain ce matin dans Troie ? Pourquoi n'entend-on pas le bruit des armes s'entrechoquant, le piétinement des 65 chevaux ou les cris des guerriers prêts à l'attaque ? Les feux sont éteints, les braises ne sont que cendres… Effrayés par de mauvais

---

1. **Autel** : table en pierre, placée devant un temple, sur laquelle on faisait des sacrifices. Les viscères des animaux sacrifiés brûlaient sur l'autel en offrande aux dieux.

présages[1], nos ennemis sont-ils partis ? Voguent-ils vers leur patrie sur les conseils de leurs devins[2] ?

Déjà, dans les ruelles chacun s'interroge. Nos guerriers
70 descendent en courant des remparts de Troie, les armes à la main, craignant une ruse. Mais les Grecs ont levé le camp, le vent a poussé leurs navires vers Mycènes. Et la foule maintenant se presse pour sortir de la cité, les portes s'ouvrent en grand... Avec Achate, mon ami de toujours, nous nous précipitons nous aussi,
75 nous voulons voir les emplacements occupés par les tentes des troupes, déserts aujourd'hui, et le rivage abandonné. Un instant, nous nous regardons effrayés par tant de bonheur.

– C'est impossible ! me crie Achate. Énée, les Grecs sont partis ! Leur fuite nous offre enfin la paix !

80 Mais je ne sais pas pourquoi, quelque chose en moi d'indicible me prive de cette joie...

– Allons, Énée, rends-toi à l'évidence, nos ennemis préfèrent la vie sauve à une mort glorieuse. Un dieu les aura sans doute avertis de leur prochaine défaite. Ce soir, nous boirons le vin
85 nouveau ensemble pour fêter leur départ, et nous offrirons aux dieux ce qu'il faut de taureaux et de libations[3] pour les remercier de leur protection.

– Penses-tu vraiment que Junon acceptera, elle aussi, cet échec ?

90 – Laisse Junon dans l'Olympe débattre avec les dieux sur le sort des Grecs ! Jupiter a dû la convaincre : Troie vivra, je te le dis !

---

1. **Présage** : signe envoyé par les dieux.
2. **Devin** : homme capable de communiquer avec les dieux, d'interpréter leur volonté et de prédire l'avenir.
3. **Libation** : action de verser sur le sol un liquide (vin, eau, lait) en offrande à une divinité.

Comme j'aimerais croire mon ami sur parole mais, c'est étrange, ma mère ne m'a pas prévenu en songe de ce retournement de situation, car les Grecs dans cette guerre avaient
95 l'avantage. Si dans notre camp nous pleurions la mort d'Hector, dans le leur ils fêtaient le triomphe d'Achille.

— Regarde, insiste Achate, ils ont laissé ce cheval haut comme une montagne en offrande à la vierge Minerve*.

— Il faut le jeter dans la mer, gronde Capys, un de nos sages,
100 tout ce qui vient des Grecs ne peut être que dangereux ; cette offrande est suspecte, allumons un feu sous ce cheval, brûlons-le ou perçons les caches de son ventre. Ne laissons pas la foule béate¹ croire que cet animal nous protégera ! Et toi qu'en penses-tu, Énée ?

105 — Laocoon le prêtre de Neptune* arrive de la citadelle. Demandons-lui conseil, reprend Achate.

— Faire entrer ce cheval dans nos murs ? Quelle folie, malheureux ? Vous croyez que nos ennemis sont partis, vous pensez que les offrandes des Grecs ne sont pas une ruse, pourtant vous
110 connaissez tous la réputation d'Ulysse* et son surnom : l'homme aux mille ruses ? Ou des Grecs se cachent enfermés dans ce cheval, ou une telle machine, fabriquée contre nos murs, leur sert à épier nos maisons et à pénétrer par en haut dans notre ville, à moins qu'un piège n'y soit dissimulé. Troyens, méfiez-vous de ce
115 cheval ! J'ai peur des Grecs même lorsqu'ils honorent les dieux !

Et Laocoon lance de toutes ses forces une solide pique dans les flancs arrondis de l'animal. Elle s'y plante en vibrant ; son ventre de bois accuse le choc, nous entendons les cavernes profondes résonner et puis, comme une plainte, un gémissement. Un

---

1. **Béat** : heureux et naïf.

120 instant nous nous regardons étonnés, mais c'est peut-être le bruit du vent...

– Regardez, crie Corèbe tout excité, les Troyens traînent un prisonnier grec jusqu'au roi, pourquoi l'ont-ils laissé sur le rivage ? La foule l'entoure déjà et les jeunes l'insultent, allons-y !

125 – Les Grecs veulent ma mort, se lamente le prisonnier. Mais où trouver refuge parmi les Troyens ? Je n'ai nulle part où aller, dans mon malheur, ni terre, ni mer !

– Eh bien, qu'as-tu d'autre à dire pour ta défense ? l'interroge le roi déjà troublé par son malheur, tandis que la foule, qui tout

130 à l'heure le conspuait[1], commence à le prendre en pitié.

– Oui, c'est la vérité, je le jure, ô roi, je suis grec et la déesse Fortune* qui s'acharne sur ma personne, n'a pas encore réussi à faire de moi un fourbe et un menteur. Tu as sans doute entendu parler de Palamède, le fils de Belus, et de son grand renom. Il

135 fut soupçonné de trahison, et on l'a condamné à mort sur des accusations infâmes[2] parce qu'il s'opposait à la guerre. Mon père, dès mon adolescence, m'envoya à ses côtés pour combattre. Tant qu'il était respecté, et son règne assuré, il se faisait entendre au conseil des rois. Mais il fut tué par la haine insidieuse[3] d'Ulysse,

140 et au lieu des honneurs, je fus plongé dans le deuil et le désespoir car un innocent avait été mis à mort. J'ai promis alors de le venger si je revenais dans l'Argos, ce qui me valut aussitôt des haines. Ulysse, le premier, ne cessait pas de me harceler de ses accusations, de ses rumeurs ambiguës[4]... Mais pourquoi vous

145 raconter mes malheurs si vous mettez dans le même sac tous les

1. **Conspuer** : huer.
2. **Infâme** : honteux, ignoble.
3. **Insidieux** : trompeur, sournois.
4. **Ambigu** : qui peut avoir plusieurs significations, dont l'interprétation est incertaine.

Grecs et que ce seul nom vous irrite comme une menace. Alors, oui, frappez-moi ! C'est ce que voudrait Ulysse, et les Grecs vous paieraient cher pour ma mort.

— Explique-toi plus clairement ! lui demande le roi.

150 — Oui, qu'il éclaircisse les faits et que l'on comprenne ce qu'il veut ! reprend Achate intrigué, en se tournant vers moi.

Sinon, c'est ainsi qu'il se nomme, reprend alors son récit en tremblant :

— Les Grecs ont eu souvent envie d'abandonner
155 Troie, de battre en retraite, épuisés par cette si longue guerre. Pourquoi ne l'ont-ils pas fait ? À cause des violentes tempêtes et des vents défavorables qui les empêchaient de mettre leurs navires à la mer. Pour obtenir l'aide des dieux, ils ont alors décidé de construire ce cheval. Mais à peine avaient-ils fini d'en assem-
160 bler les bois que les nuages se sont amoncelés. L'orage s'est mis à gronder. C'est un signe des dieux ! s'écrièrent-ils inquiets. Ils ont alors envoyé leur devin consulter l'oracle d'Apollon et voici ce qu'il leur révéla : « Puisque c'est par le sacrifice d'une vierge que vous avez apaisé les vents pour arriver jusqu'à Troie●, c'est
165 par un autre sacrifice humain que vous repartirez. »

— La rumeur se répandit aussitôt parmi le peuple et tout le monde eut peur. Qui serait la victime sacrifiée aux dieux ? Ulysse fit alors venir le devin Calchas* pour qu'il divulgue la volonté des dieux. Certains déjà médisaient contre moi. Pendant dix jours,
170 le devin se tut. Il refusa de désigner qui que ce soit pour l'envoyer à la mort. Mais Ulysse le poussait à donner un nom... alors,

● Comme les bateaux des Grecs ne pouvaient prendre la mer à cause de vents défavorables, Agamemnon dut sacrifier sa fille Iphigénie à Artémis.

sortant de son silence, il me désigna pour l'autel. Chacun craignant pour lui, approuva qu'un malheureux soit condamné à sa
place et l'on prépara vite tout ce qu'il faut pour le sacrifice : les
175 farines salées, les bandelettes qui ceindraient mon front●. Oui,
je l'avoue, j'ai fui la mort ! J'ai arraché mes liens, je me suis caché
au milieu des roseaux dans un marais plein de vase, attendant
le cœur battant que les Grecs mettent les voiles. C'est ce qu'ils
ont fait. Maintenant, je n'ai plus aucun espoir de retrouver ma
180 terre natale, mes enfants, mon père que j'aime tant. Les Grecs
se vengeront sans doute sur ma famille... Ils leur feront payer
ma fuite.

    – Je t'en supplie, au nom des dieux d'en haut et de ses puis-
sances qui savent que je dis vrai, aie pitié de mon malheur, ô roi,
185 aie pitié de moi !

    Qui ne lui accorderait pas ce qu'il demande en le voyant
pleurer ?

    Priam fait détacher ses liens.

    – Qui que tu sois, dit-il, oublie désormais les Grecs ; ils sont
190 perdus pour toi et réponds-moi sans me cacher la vérité, pourquoi ont-ils construit cet énorme cheval ? Qui en a eu l'idée, et
pourquoi ? Est-ce une offrande aux divinités ou une machine
de guerre ?

    – Je vous prends tous à témoin, répond Sinon, je ne dois rien
195 aux Grecs, je les hais, mais que Troie, une fois sauvée, respecte
ses promesses d'hospitalité. Je vais te dire ce qui s'est passé :

● Lors des sacrifices, le prêtre entourait son
front de bandelettes de tissu et saupoudrait
de la farine salée sur le front de la bête à
sacrifier.

Ulysse a outragé le sanctuaire de Minerve et la déesse en colère a décidé de ne plus soutenir les Grecs contre les Troyens. Calchas, leur devin, affirma qu'ils devaient partir. Mais avant de s'enfuir, pour réparer l'offense faite à la déesse et leur sacrilège, Calchas leur ordonna de construire cet immense cheval de bois. Il devait être plus haut que vos portes pour que vous ne puissiez pas l'introduire dans votre cité. Sinon la déesse vous protégerait. Si vous profanez cette offrande, Troie est perdue ! Mais si vous faites monter cette statue dans votre citadelle, les Grecs seront vaincus !

– Qu'en penses-tu ? Tu crois qu'il dit la vérité, me demande Palinure.

– Je ne sais pas !

Et pendant que chacun s'interroge sur ce cheval et que tout le monde semble d'accord pour le faire entrer dans la citadelle, il se produit un événement étrange et terrifiant. Laocoon, le prêtre de Neptune, rend un culte au dieu, en lui offrant un taureau, quand, deux énormes serpents surgissent au-dessus des eaux calmes de la mer et se dirigent vers le rivage. Leurs poitrails et leurs crêtes sanglantes dominent les vagues. Ils glissent sur la mer écumante, arrivent sur la terre ferme. Leurs yeux flamboyants sont injectés de sang et remplis de feu. Déjà, ils se pourlèchent en sifflant.

– Fuyons ! hurle la foule, prise de panique.

Achate, Corèbe, Palinure, mes compagnons, s'enfuient à toutes jambes. Moi, je reste là pétrifié[1] et ce que je vois je le reverrai jusqu'à la fin de ma vie : les deux monstres se jettent sur les fils de Laocoon, les enlacent, les broient, les dévorent. J'entends leurs hurlements d'effroi. Laocoon se précipite à leur secours avec ses armes mais les deux serpents aussitôt s'acharnent sur

1. **Pétrifié** : paralysé par la peur.

225 lui, l'attrapent dans leurs anneaux gigantesques, le serrent,
l'étouffent. Laocoon inondé de leur venin noir tente désespéré-
ment de desserrer de ses deux mains leur étreinte mortelle. Il
pousse un dernier cri d'animal blessé, celui d'un taureau que
la hache mal assurée du sacrificateur n'a pas pu achever. Et la
plainte de son râle[1] monte jusqu'au ciel.

230

Quelle horreur ! J'en tremble sous le choc. Pourquoi tant de
violence, ô dieux qu'avez-vous à nous dire ?

La foule épouvantée jure déjà que c'est un juste châtiment,
qu'il n'aurait jamais dû percer le flanc du cheval avec sa lance
235 et qu'il paie.

– Il faut faire entrer ce cheval dans la ville, crient les Troyens,
et l'emmener jusqu'au temple de Minerve où les deux serpents
se sont réfugiés, pour implorer sa bienveillance.

Sans savoir pourquoi, je les regarde faire. J'ai peur, toute cette
240 foule en délire qui abat les remparts de Troie que nos ennemis
en dix ans n'ont jamais réussi à briser… Certains posent déjà
des roues sous les pieds du cheval. D'autres lui passent autour
du cou des cordages bien raides pour le tirer. Vénus, ma mère,
dis-moi s'ils ont vraiment raison ?

245 Je les regarde faire, et chanter des hymnes[2], et toucher les
filins[3]. Le cheval avance au milieu de Troie. Faut-il s'en réjouir ?
Quelque chose me retient, sans doute la mort de Laocoon et de
ses deux enfants ; ou bien, peut-être, Cassandre*, la fille du roi

---

1. **Râle** : bruit rauque émis par un mourant.
2. **Hymne** : chant exprimant la joie à la gloire
   d'un héros ou d'un dieu.
3. **Filin** : cordage.

Priam, la clairvoyante que l'on n'écoute jamais et qui prédit à qui veut l'entendre que ce cheval sera notre mort...

Mais la nuit s'élance de l'Océan pour envelopper la Terre, et dans les maisons ce ne sont que vin et chansons.

La prise de Troie par les Grecs, Raoul Le Fèvre,
« Le Recueil des histoires de Troie », 1464. Paris, BNF, Manuscrits.

2

TROIE EST PERDUE !

Dans sa haute demeure, mon père Anchise adresse ses prières aux dieux qui nous ont apporté la paix. Il est heureux ce soir car, il le sait, il verra son petit-fils Ascagne grandir. Pourtant il ne manifeste aucune joie. Que pressent-il que j'ignore ? Vénus lui aurait-elle parlé ? Ascagne dort paisiblement près de sa mère, mais moi j'ai du mal à trouver le sommeil. La nuit est sombre, sans lune, comme j'aurais aimé qu'elle soit claire et que les astres répondent à l'inquiétude qui m'oppresse. J'entends le pas traînant d'Anchise, il a rejoint sa chambre. Quel silence, pas même une chouette voletant d'arbre en arbre. Allons, il est grand temps de se coucher. Demain sera le premier jour de paix après tant d'années de malheur.

Brusquement, dans mon sommeil, Hector m'apparaît en songe. Mais il me fait peur. Il est couvert de poussière, et saigne de mille plaies. Ses cheveux hérissés sont collés par le sang. Il pleure de douleur mais pourquoi ?

– Hector, toi en qui tous les Troyens avaient mis leurs espoirs, d'où viens-tu, dans quel état es-tu ? Pourquoi es-tu défiguré, et toutes ces blessures ?

2. TROIE EST PERDUE !

Pour toute réponse, Hector m'avertit en gémissant :

– Fuis, fils de Vénus, fuis l'incendie de Troie ! Sauve-toi, l'ennemi est dans vos murs. Tu as assez donné à ta patrie et à Priam,
275 si Troie avait pu être sauvée, crois-moi je l'aurais fait ! Mais les dieux sont contre nous. Prends le feu sacré, les dieux protecteurs de la ville et de ta maison, tes pénates[•], emporte-les avec toi. Ils seront les compagnons de ton destin, et trouve, après avoir erré sur toutes les mers, la ville que tu pourras fonder.

280 – Hector !

Mon propre cri me réveille. Dehors, j'entends une clameur de détresse traverser la ville, pourtant la maison de mon père Anchise est située un peu à l'écart de la citadelle et protégée par de grands arbres. Mais le bruit des épées résonne et se rapproche.
285 Angoissé, je monte sur les terrasses : un incendie gigantesque ravage Troie ! Les Grecs nous assiègent ! Les cris des combattants, les sonneries de trompettes montent de partout. Alerte ! Comment rassembler une troupe avec des compagnons, je l'ignore, je sais seulement qu'il est beau de mourir, les armes
290 à la main.

Je cours rejoindre les miens. Panthus, prêtre du temple d'Apollon, serre dans ses bras les objets saints de nos dieux vaincus, son petit-fils effrayé le suit.

– Panthus, où en sont nos hommes dans la citadelle ?

295 – C'est notre dernier jour, Énée, c'en est fini de Troie, de notre gloire passée. Jupiter soutient les Grecs, la ville est incendiée et ils en sont maîtres. Le cheval vomit des hommes en armes. Sinon, en vainqueur, attise l'incendie et nous insulte. Ils sont des

> ● Les pénates sont les divinités protectrices de la maison et de la famille chez les Romains.

milliers à entrer par les remparts que nous avons nous-mêmes
300 détruits. Quelques-uns se pressent déjà à nos portes, d'autres
montent des barricades dans les ruelles pour nous empêcher de
passer... C'est à peine si les gardes en première ligne tentent de
leur résister. Voilà la situation, Énée.

Je me précipite vers le bruit, vers les cris. Rhipée, Épithus, me
305 rejoignent, je les vois surgir de l'ombre avec Hypanis, Dymas, et
Corèbe. Lui qui était arrivé à Troie pour épouser Cassandre, pourquoi n'a-t-il pas écouté les paroles prophétiques de sa fiancée ?

– Vous mes amis, vous les valeureux guerriers, regardez : les
dieux qui tenaient Troie debout nous ont lâchés ! Si vous portez
310 secours à notre ville en flammes, n'espérez pas en réchapper ;
il n'y a plus qu'un seul salut pour les vaincus : mourir !
Dispersons-nous !

Comme des loups attaquant leur proie dans le noir, nous
courons vers la mort, la rage au cœur.

315 Qui pourra raconter le désastre de cette nuit et le râle effrayant
de ces morts ? Une ville s'écroule, des milliers de gens sans
défense sont massacrés dans les rues, dans les maisons et sur
le seuil des temples. Les Troyens se battent comme des lions et
font payer aux Grecs leur ruse. Mais partout c'est l'horreur, la
320 peur, l'image de la mort.

Au détour d'une ruelle, soudain nous croisons des soldats
grecs. Dans la nuit, ils nous prennent pour ceux de leur camp.

– Qu'est-ce que vous faites ? Dépêchez-vous, vous êtes en
retard ! nous crie l'un d'eux. Les autres pillent déjà Troie en feu
325 et on dirait que vous sortez seulement de vos navires !

Personne ne lui répond. Les soldats grecs comprennent
aussitôt qu'ils sont tombés sur une troupe ennemie et cherchent
à s'enfuir. Mais en vain, nous les encerclons pointant nos lances

et nos épées sur eux. Paralysés par la peur, ils n'osent plus bouger.
330 Ils ne savent pas exactement où ils se trouvent.

– Massacrez-les !

Mon cri vengeur retentit dans la nuit.

– La chance est avec nous, s'exclame Corèbe, prenons leurs armes, échangeons nos boucliers ! Ruse ou bravoure au point où
335 l'on en est, l'essentiel c'est de surprendre les Grecs pour mieux les tuer !

Nous courons au combat vêtus et armés comme des Grecs, et nous voyant ainsi surgir sans comprendre ce qui se passe, les soldats ennemis se sauvent vers le rivage ou tentent de se cacher
340 dans ce cheval de bois qu'ils connaissent si bien. Mais quand les dieux nous sont contraires, que peut-on faire ? Soudain, dans la lumière de l'incendie qui se propage nous apercevons Cassandre. Des guerriers grecs la traînent par les cheveux hors du temple de Minerve, les mains ligotées. Corèbe en la voyant se rue sur
345 les soldats et nous nous précipitons pour l'aider. Mais en découvrant le panache de nos casques et nos boucliers, notre propre camp nous prend pour des ennemis et nous assaille. C'est un véritable massacre, les Grecs que nous avions pourchassés dans la ville reconnaissent leurs armes et notre accent troyen. Nous
350 sommes faits ! Corèbe tombe sous les coups. Rhipée aussi. Dans la confusion, Hypanis et Dymas sont tués par les nôtres.

Je le sais, si mon destin avait été de mourir là dans ces ruelles de Troie, je serais moi aussi tombé sous les lances, mais ce n'était ni mon heure ni la volonté des dieux.

355 – Au palais de Priam ! Vite ! Les quelques compagnons rescapés se rassemblent autour de moi. Fuyons vers le palais !

Quand nous arrivons hors d'haleine, nos javelots encore ensanglantés, les Grecs assiègent le palais de toutes parts. Les Troyens

résistent autant qu'ils le peuvent, arrachant les pierres des tours,
360 les lambris[1] des plafonds dorés, pour en faire des projectiles
meurtriers. Tous savent qu'ils vont mourir mais ils se défendent
jusqu'au bout.

Je sais où se trouve la porte dérobée permettant d'entrer chez
Priam par un souterrain. C'est par là qu'Andromaque*, la femme
365 d'Hector, passait quand elle venait sans escorte avec son fils,
rendre visite au roi. Mais je pressens qu'il est déjà trop tard.

Pyrrhus assiège le palais avec d'autres guerriers. Ce fils
d'Achille ne connaît que la haine. Oui, je pensais après tant d'années de guerre avoir vu la barbarie inhumaine, mais je n'avais
370 pas encore connu le pire. Pyrrhus s'acharne, et ni les barres des
grandes portes, ni les gardes troyens, ne peuvent l'arrêter. Sous
les coups répétés du bélier, les portes des appartements royaux
chancellent et s'abattent dans un fracas assourdissant. Lui et ses
compagnons forcent tous les accès et massacrent tout le monde.
375 Notre vieux roi Priam, dès qu'il a vu sa ville attaquée et pillée de
toutes parts et l'ennemi aux portes de son palais, a revêtu ses
armes ; elles pèsent sur ses épaules tremblantes. Priam s'avance
ainsi au milieu de ses adversaires pour mourir. Mais Hécube,
sa femme, et ses filles, qui ont trouvé refuge dans une cour du
380 palais, près de l'immense autel des dieux protecteurs, l'appelle.

– Rejoins-nous, Priam, lui dit-elle, ou cet autel nous protégera
tous ou nous mourrons ensemble !

Priam les retrouve et Hécube attire le vieil homme auprès
d'elle. Au même instant, Politès, leur fils, cherche à se réfugier
385 dans une cour déserte du palais, il est blessé et perd son sang.
Pyrrhus le poursuit brandissant sa lance, comme une bête que

---

1. **Lambris** : revêtement de menuiserie d'un
plafond.

l'on force à la chasse. Il le rattrape dans la cour où se trouvent ses parents et, sous leurs yeux horrifiés, l'achève dans un flot de sang. C'est plus que Priam ne peut en supporter, encerclé déjà 390 par les soldats grecs, il hurle sa colère.

– Pyrrhus ! que pour ce crime odieux, les dieux te châtient[1], toi qui m'as fait voir le meurtre de mon enfant, qui as souillé[2] de mort le visage d'un père ! Non, même Achille, dont tu prétends être le fils, ne se comporta pas ainsi avec moi. Il eut pitié d'un 395 père en me rendant le corps exsangue d'Hector, pour que je puisse lui donner une sépulture digne. Il m'a laissé, lui, repartir sain et sauf dans ma ville.

Et Priam, à ces mots, lance de toutes ses forces de vieillard son javelot sur Pyrrhus qui l'esquive avec son bouclier.

400 – Eh bien ! le beau parleur ! s'emporte Pyrrhus, tu iras dire tout cela à mon père ! Et maintenant, meurs !

Il traîne Priam contre l'autel des dieux. Le vieil homme tremble et chancelle dans le sang de son fils répandu sur le sol. De la main droite, Pyrrhus l'empoigne par les cheveux et, de la gauche, 405 lui enfonce sans hésiter son épée dans le cœur.

Vénus, ma mère, qu'avons-nous fait pour mériter tant d'horreurs, comment peut-on survivre à tant de violences ? Je suis prostré[3], à bout de souffle, à bout de forces. L'image de mon père se superpose à celle de Priam ; quand je vois ce vieux roi baignant 410 dans son sang c'est lui que je vois... et j'imagine Créuse seule, notre maison pillée, l'effroi du petit Ascagne.

Je cherche partout autour de moi quelqu'un pour m'aider, mais sur quel secours compter, tous ont disparu. Certains se sont

---

1. **Châtier** : punir.
2. **Souiller** : salir, déshonorer.
3. **Prostré** : abattu, incapable de bouger
   ni de parler.

suicidés avec leurs armes et d'autres jetés dans les flammes. Je
415 suis seul. Seul avec ma douleur, anéanti. Soudain une lueur plus
vive monte de l'incendie. Elle éclaire la salle du palais : Hélène !
Silencieuse, cachée dans un coin, elle a peur maintenant et de
la haine des Troyens et de la colère de son époux qu'elle a autrefois délaissé pour aimer Pâris, un des fils de Priam. La colère
420 m'envahit. Non ! Elle ne s'en tirera pas ainsi ! Elle ne reverra pas
Sparte, sa terre natale. Elle ne retrouvera pas sa maison escortée
comme une reine, par des esclaves troyennes. Elle va payer !
Priam ne sera pas mort en vain, ni lui ni tous les nôtres. Et l'on
saura, au moins, qu'un Troyen a vengé les siens...

425 Je m'élance prêt à la tuer quand, dans une clarté rayonnante,
ma mère apparaît et arrête mon bras.

– Énée ! Pourquoi tant de haine, de barbarie ignoble ? Il
vaudrait mieux que tu t'occupes d'Anchise, de ta femme et de
ton fils ! Sais-tu au moins s'ils vivent encore ? Les Grecs les
430 encerclent eux aussi, à présent, et si je n'étais pas intervenue
pour dresser un invisible rempart entre eux et leurs ennemis,
ils seraient déjà morts, brûlés vifs ou transpercés par une épée.
Ce n'est pas la beauté détestée d'Hélène qui est responsable de
la défaite de Troie, mais la sévérité inflexible des dieux. Oui,
435 ce sont eux qui détruisent cet empire et renversent cette ville
splendide. Regarde-les, je vais dissiper la brume qui recouvre
tes yeux. Neptune secoue les murs et les fondations troyennes,
de son énorme trident. Junon en armes tient les portes de la
ville, grandes ouvertes et appelle à la rescousse les troupes
440 alliées. Minerve est assise au sommet de la citadelle et, autour
d'elle, la Gorgone* lance des éclairs. Jupiter lui-même soutient
le courage et les forces des Grecs pour qu'ils triomphent et il
pousse les dieux à attaquer les Troyens ! Sauve-toi, mon fils,

fuis ! Ne poursuis pas un combat inégal. Partout où tu iras, je
445 serai avec toi. Et un jour, enfin, je t'installerai sur la terre de tes
ancêtres où tu seras en sécurité.

À ces mots Vénus, ma mère, disparaît dans les ombres noires
de la nuit. Alors des formes terrifiantes surgissent : celles des
dieux qui anéantissent Troie. La ville tout entière est dévorée par
450 les flammes, elle tombe comme un grand chêne que l'on abat.
Bouleversé, je redescends du palais sous la protection divine,
et ainsi escorté, je traverse les flammes et les coups ennemis,
sans que l'on puisse me capturer.

Tête de Vénus réalisée par l'école de Praxitèle,
325 av. J.-C. Tarante, Musée archéologique.

3

– Il faut fuir dans les montagnes ! Vénus m'a prévenu, notre
455 destin n'est plus à Troie. Anchise, je t'en prie, suis-nous !

Comment persuader mon père qui ne veut rien entendre ?

– Non, Énée, je reste ! Partez sans moi ! Vous êtes jeunes
encore et pleins de force, je ne suis qu'un vieil homme boiteux,
partez, ne vous occupez pas de moi ! Laissez-moi mourir ici dans
460 ma demeure et peu m'importe que ce soit sous les coups de mes
ennemis. Depuis longtemps les dieux me haïssent et je traîne,
en me sachant inutile, le poids de mes années.

– Je t'en prie, père, viens avec nous ! N'ajoute pas une souffrance de plus à notre départ. Ne laisse pas ton fils se débattre
465 seul avec son destin.

Créuse en larmes le supplie, Ascagne son petit-fils aussi. Mais
mon père refuse obstinément.

– Comment pourrais-je partir, moi, ton fils, en te laissant ici ?
Comment peux-tu l'imaginer ? Et s'il plaît aux dieux qu'il ne reste
470 plus rien de Troie, si ta résolution est prise, comment peux-tu
penser que c'est bien d'ajouter à ta mort celle des tiens… Bientôt,
Pyrrhus couvert du sang de Priam sera ici, lui qui égorge le fils

sous les yeux de son père et le père contre les autels des ancêtres !
C'est pour en arriver là, ma mère, que tu m'as protégé des lances
475 et des flammes ? Pour que je voie mes ennemis dans ma propre
maison, et Ascagne, Anchise, Créuse immolés baignant dans le
sang l'un de l'autre ? Apportez-moi mes armes, compagnons,
nous allons tous mourir vaincus. C'est notre dernier jour, mais
au moins vengeons-nous !

480   Mon épée au côté, j'attache à ma main gauche mon bouclier
et sors de ma demeure. Mais j'ai à peine franchi le seuil que ma
femme en larmes me rejoint. Elle me tend Ascagne, que l'on
nomme aussi Iule, effrayé et qui ne comprend pas ce qui arrive.
Ses cris et ses pleurs d'enfant résonnent dans toute notre maison
485 quand, soudain, il se passe quelque chose d'étrange, une flamme
légère, comme l'aigrette[1] d'un casque, étincelle au-dessus de la
tête d'Ascagne. Elle se répand dans ses cheveux. Épouvantés,
nous nous précipitons Créuse et moi pour éteindre, avec une eau
pure, ce feu surnaturel. Que veut le dieu des dieux ? Anchise, les
490 mains levées vers le ciel, l'implore :

   – Tout-puissant Jupiter, si tu te laisses fléchir par quelque
prière, regarde-nous, et si notre piété● le mérite, sauve-nous, ô
Père, et confirme ce présage.

   Aussitôt, le tonnerre gronde et la lumière éclatante d'une étoile
495 traverse le ciel. Nous la voyons glisser dans la nuit et se poser
au-dessus du toit de notre demeure, pour disparaître enfin vers la
forêt de l'Ida*. L'étoile nous indique la route à prendre dans son
sillage lumineux. Au loin, tout autour, s'élève une fumée de soufre.

---

1. **Aigrette** : panache de plumes qui orne un casque.

● La piété est l'attachement profond et dévoué à une divinité. Valeur très importante chez les Romains, elle est incarnée par Énée, surnommé dans l'*Énéide* « le pieux ».

Alors mon père se lève et, les yeux tournés vers le ciel, s'adresse
500 aux dieux en adorant l'astre miraculeux.

– Pas un instant à perdre, nous dit-il exalté. Je vous suis où que
vous me conduisiez puisque les divinités ont parlé. Je suis prêt.
Dieux de nos pères, protégez mon petit-fils. Cet augure[1] vient de
vous ! Troie est sous votre garde, Énée, je pars avec toi !

505 Le temps presse, les maisons alentour sont en feu et nous
ressentons la chaleur insupportable de l'incendie.

– Père bien-aimé, mets tes mains autour de mon cou, je vais
te porter[●]. Tu ne seras jamais pour moi une charge trop lourde.
Nous allons affronter ensemble les mêmes dangers et ensemble
510 nous serons sauvés. Ascagne, donne-moi la main et toi, Créuse,
suis-nous. Vous mes amis, écoutez-moi attentivement : à la sortie
de la ville, il y a un tertre[2] où est bâti l'ancien temple de Cérès,
c'est là que nous nous retrouverons par des chemins différents.
Toi, père, porte les objets sacrés, les pénates de nos ancêtres. Moi,
515 je sors des carnages et du sang de la guerre, je ne peux pas les
toucher avant de m'être purifié dans une eau vive. Et maintenant,
partons !

Courbé sous le poids de mon père, j'avance en serrant la main
de mon fils. Il me suit comme il peut de ses pas d'enfant, ma
520 femme ferme la marche... Nous progressons dans la nuit, sursau-
tant au moindre bruit ; moi que rien n'aurait fait trembler avant,
j'ai peur pour ceux que j'aime.

Nous arrivons enfin aux portes de la ville. Le temple de Cérès
sera bientôt en vue. Mais soudain, j'entends des pas derrière moi...

---

1. **Augure** : présage.
2. **Tertre** : hauteur, colline.

● Scène célèbre de l'*Énéide* qui exprime
  la piété filiale d'Énée, souvent représentée
  dans l'art. Anchise a quatre-vingts ans
  au départ de Troie.

Énée fuyant, portant Anchise sur son dos. Paris, BNF, Estampes.

525 — Fuis, Énée ! Fuis, ils approchent ! Laisse-moi, tu ne pourras pas courir en me portant. Je vois leurs boucliers de bronze briller dans la nuit ! s'écrie mon père en scrutant l'ombre.

D'un bond, je quitte le chemin pour me cacher, tandis que mes compagnons se dispersent dans la nuit. Je coupe à travers 530 les broussailles pour atteindre le temple de Cérès, notre point de ralliement. Créuse, dans l'obscurité, n'a pas réussi à me suivre. Mes compagnons sont arrivés par un autre sentier, mais elle n'est pas avec eux. Je crains le pire.

— Ascagne et Anchise, restez là avec nos compagnons, je 535 retourne la chercher dans Troie.

Je prends mes armes et cours dans la nuit en rebroussant chemin. J'essaie de relever nos traces, de les suivre dans l'obscurité, cherchant le moindre indice. Personne ! L'angoisse me coupe le souffle. Je cours jusqu'à notre demeure si jamais elle 540 y était revenue... Mais les Grecs l'ont incendiée, les flammes dépassent déjà le toit. Je me précipite dans les ruelles de la citadelle, je l'appelle en hurlant : Créuse ! Créuse ! Mais rien, ni personne. Je la cherche comme un fou à travers les maisons en ruine de la ville, quand enfin elle m'apparaît. Elle me semble si 545 grande et son ombre si démesurée qu'elle me fait peur.

— Énée, mon tendre époux, je t'en prie, ne sois pas abattu par le chagrin. Ce qui arrive est conforme à la volonté des dieux. Jupiter n'a pas voulu que je vienne avec toi, ce n'est pas mon destin. Tu vas au devant d'un long exil, et tu erreras sur la mer 550 avant d'atteindre la terre d'Hespérie●. Mais là-bas, tu trouveras un royaume et une épouse de sang royal. Ne me pleure pas, sèche tes larmes... Ne t'inquiète pas, je ne serai pas esclave en terre

● L'Hespérie, la « terre de l'ouest » (du grec
hesperia, « l'ouest ») désigne l'Italie.

grecque, moi la belle-fille de la divine Vénus, même si Junon me retient ici. Adieu mon cher époux, désormais aime notre fils pour
55 deux...

Je veux la retenir, la serrer dans mes bras, mais je ne saisis que son image, rien qu'un vent léger comme un songe qui s'envole... trois fois j'essaie d'étreindre Créuse, mais sans succès.

La nuit avance, il faut que je rejoigne ceux qui m'attendent au
560 temple. Une foule de nouveaux arrivés se sont rassemblés pour marcher avec nous : des hommes, des femmes, des enfants et de nombreux jeunes gens qui ont choisi l'exil. Ils se sont ralliés à nous avec courage emportant quelques biens. Tous prêts à me suivre quel que soit le pays où je les conduirais.
565 Allons ! il est grand temps, l'aube se lève ; il ne faut plus tarder.

Tenant bien serrée la main de mon fils, mon père sur mon dos, je gagne les montagnes avec mes compagnons, nous nous y cacherons avant de pouvoir prendre la mer.

– Embarquons ! Les vents nous sont favorables ! Que les
570 navires que nous avons construits nous emmènent loin d'ici. Si nous ne savons pas où nous conduira notre destin, ni où nous pourrons enfin nous installer nous devons quitter Troie pour nous construire un autre avenir.

Tous s'affairent, cette fois c'est le grand départ... Chacun
575 sait qu'il ne reviendra pas sur sa terre natale, qu'il quitte les rivages de sa patrie, sans savoir où il va. Nous sommes des exilés cherchant ailleurs des jours meilleurs. Et je mets cap sur le grand large.

Au loin, nous apercevons la terre de Thrace* avec ses vastes
580 plaines labourées. Le roi Polymestor y est un de nos alliés.

Depuis quelques années déjà, il a accueilli à sa cour le plus jeune fils de Priam, lui épargnant l'horreur de la guerre. Est-ce là que nous nous installerons définitivement ? Nous accostons et les bateaux sont tirés sur le rivage. Quelques instants plus
585 tard, je trace sur le sol les limites de ce qui pourrait être notre future cité que je nomme Énnéades. Mais avant d'en construire plus tard les murs, j'offre à Vénus, ma mère, et aux dieux protecteurs, les offrandes qu'ils aiment. Je sacrifie aussi à Jupiter un taureau magnifique. Il faudrait couvrir de rameaux les autels
590 de pierre dressés à leur intention. Apercevant un petit tertre avec des cornouillers et un myrte[1] tout hérissé de piques, un peu plus loin, je vais trouver de quoi honorer les dieux ! Mais, quand je déplante le premier arbuste, quelques gouttes d'un sang noir coulent de ses racines brisées et infectent aussitôt
595 la terre. C'est répugnant ! Je n'ose plus y toucher. Je choisis un autre buisson mais son écorce suinte de sang. Quel esprit maléfique hante ces lieux ? Je pourrais fuir épouvanté, mais la curiosité l'emporte. Et, malgré ma peur, je casse une branche de cornouiller... C'est alors que j'entends un gémissement sortir
600 des profondeurs de la terre.

– Énée ! Énée ! Pourquoi blesses-tu un malheureux ? Arrête, ne maltraite pas un pauvre corps enseveli, ne rends pas tes mains criminelles !

– Qui es-tu, toi qui me parles ? Où te caches-tu ?
605 – Je suis troyen comme toi ! Le sang ici ne coule pas du bois d'un arbre, c'est mon sang. Je t'en prie, fuis cette terre cruelle et cupide, crois-moi, je suis Polydore.

---

1. **Le cornouiller** est un arbuste des bois et
le myrte, un arbrisseau à fleurs blanches,
symbole de gloire.

– Le jeune fils de Priam ! Un enfant innocent ! Mais qui t'a tué et pourquoi ? Le roi de Thrace est notre allié ! Ma voix s'étouffe dans ma gorge.

– Mon père m'a confié à Polymestor pour qu'il me protège en échange de beaucoup d'or. Et c'est ce qu'il a fait durant quelques années mais, quand il a su que Troie était vaincue, il a eu peur. Et il a changé de camp. Il a préféré s'entendre avec le vainqueur, le roi Agamemnon. Je devenais gênant moi, le fils du vaincu. Il m'a assassiné sans scrupule, une bonne façon de me faire disparaître et de s'emparer de mon or. Il a jeté mon corps ici, sans sépulture[1], et mon sang depuis arrose la terre. Fuis, Énée, pendant qu'il est encore temps !

Aussitôt je redescends vers mes compagnons, leur annonce toute l'horreur de ce crime et tous sont unanimes, il faut partir au plus vite de cette terre criminelle où l'on bafoue l'hospitalité... Mais avant d'embarquer, nous organisons des funérailles dignes de Polydore et pratiquons, émus, les rites troyens pour l'honorer.

– Adieu, Polydore ! Que ton âme repose désormais en paix !

La mer est calme, les vents favorables, nous poussons nos navires vers le large, loin du port et peu à peu les villes s'éloignent ; cap sur Délos, l'île sacrée d'Apollon, dont on dit que c'est un havre de paix.

– Anchise, mon vieil ami !

À peine avons-nous abordé la côte que le roi Anius et le prêtre d'Apollon, les tempes ceintes de bandelettes et du laurier sacré●, viennent déjà à notre rencontre...

---

1. **Sépulture** : tombe.   ● Le laurier est la plante du dieu Apollon.

635   Nos mains se joignent en signe d'hospitalité, mais avant d'entrer dans leur demeure, je m'arrête pour prier avec mes compagnons au temple d'Apollon :

– Ô dieu, donne des maisons à ceux qui n'en peuvent plus d'errer sur la mer, et une ville qui dure. Et pour nos familles, de
640 nombreux descendants. Garde-nous tous qui avons échappé aux mains des Grecs. C'est toi notre guide. Où nous ordonnes-tu de nous établir ? Donne-nous un signe, ô dieu, et descends dans nos cœurs.

Soudain, la terre tremble, les parvis[1] du temple, le laurier du
645 dieu aussi. La montagne autour de nous s'ébranle, le sanctuaire s'ouvre... Effrayés, nous nous prosternons tous.

– Vous les descendants de Dardanus, la terre qui la première vous porta, la terre ancestrale de vos pères, c'est elle qui accueillera votre retour. Cherchez la Mère-Terre antique qui vous vit
650 naître. Là-bas, la maison d'Énée dominera tous les rivages et les fils de vos fils et ceux qui naîtront d'eux !

Ainsi parle Apollon. Aussitôt, nous nous demandons, surexcités, où se trouve cette ville. Où Apollon appelle-t-il les exilés ?

Anchise, mon père, tente de se rappeler les traditions des
655 hommes d'autrefois. Il réfléchit et enfin :

– Écoutez-moi tous, c'est en Crète que nous devons nous rendre. Sur l'île du grand Jupiter se dresse le mont Ida*, le berceau de notre race. C'est le plus riche des royaumes, il comprend au moins cent villes puissantes. C'est à partir de là,
660 si mes souvenirs sont exacts, que Teucrus* aborda sur les rives de Rhétée et choisit de fonder son royaume. Troie n'existait pas

---

1. **Parvis** : place qui se situe devant un temple.

encore, seules les vallées étaient habitées. Le périple n'est pas long si les vents nous sont favorables. Obéissons aux ordres des dieux et gagnons la Crète au plus vite !

665   Si Jupiter est avec nous, dans trois jours, nous y serons et tirerons nos navires sur le rivage crétois. Alors pour que ce dernier voyage se déroule sans tempête, Anchise immole[1] sur l'autel un taureau pour Neptune, un autre pour Apollon, une brebis noire à la Tempête et une blanche aux Zéphyrs propices. Juste

670 avant de partir le bruit court que ce fou d'Idoménée, ce roi de Crète qui voulut sacrifier son propre fils et nous a combattus, a été chassé par son peuple. L'ennemi s'est enfui ! Les rives de la Crète, nous dit-on, sont désertes. Et les maisons abandonnées nous attendent...

675   Trois jours plus tard nous débarquons en Crète. Mes compagnons impatients m'adjurent de tracer enfin l'enceinte de notre ville et nous l'appelons Pergame, en souvenir de la citadelle de Troie. C'est là que nous élèverons nos citadelles et les maisons où nos enfants joueront.

680   – Mettons-nous au travail avec courage ! Dans quelques mois, notre cité sera bâtie, le blé lèvera dans les champs labourés.

    Les jeunes Troyens enthousiastes m'acclament et commencent à défricher la terre. Demain la moisson sera bonne !

    L'été arrive plein de promesses, quand brusquement la peste

685 abat tous nos espoirs*. Les hommes, les femmes, les enfants, sont contaminés ; les bêtes aussi jusqu'aux champs. Le blé est malade et la famine approche déjà.

---

1. **Immoler** : sacrifier.

● La peste est une maladie souvent mortelle et un présage envoyé par Apollon.

— Énée, dit mon père, il faut repartir, retourner à Délos, là où nous avons entendu l'oracle d'Apollon, et implorer ce dieu pour
690 qu'il nous réponde enfin : quand mettra-t-il fin à nos épreuves, où veut-il que nous trouvions de l'aide et vers quel cap tourner nos navires ?

Les hommes sont affaiblis et découragés, comment leur dire de rebrousser chemin ? Je ne sais pas. Tous, nous subissons la
695 volonté des dieux. Nous étions si heureux de voir le blé en grain, si impatients de moissonner nos premières récoltes et de célébrer les mariages des jeunes. Je regarde Ascagne. Il dort. Comme il me semble fragile à présent.

La nuit s'avance quand soudain, devant moi, m'apparaissent
700 les images sacrées des dieux et les pénates emportés de Troie. Je les aperçois dans la lumière de la pleine lune.

— Que me voulez-vous, vous tous ? Qu'avez-vous à me révéler ?

— Énée ! m'annoncent-ils d'une voix profonde, ne retourne pas à Délos, ce qu'Apollon pourra te dire là-bas, il te l'annonce ici, nous
705 sommes ses messagers. N'abandonne pas ta mission ! Et si tu erres depuis longtemps sur la mer, un jour tu trouveras ta patrie. Tu dois partir de Crète, ce n'est pas ici qu'Apollon voulait que tu t'installes. Il existe une terre que les Grecs nomment Hespérie, son armée est puissante et son sol riche et fécond, elle porte aujourd'hui le nom
710 d'Italie. C'est de là que sont issus Dardanus et le grand Iasus*, les ancêtres de notre race. Allons ! Debout, lève-toi ! Et va rapporter ce que tu sais maintenant, à Anchise ton vieux père.

Je me réveille hébété[1], et si toutes ces apparitions n'étaient qu'un rêve trompeur, si les dieux se jouaient encore de moi ?

---

1. **Hébété** : engourdi, troublé.

715 Pourtant, j'ai reconnu leur visage ! Une sueur glacée me coule dans le dos mais je me lève d'un bond. Je prie et offre au foyer encore rougi de braises ce qu'il faut de libations pour me concilier la faveur des divinités.

– Anchise ! Anchise !

720 Mon père, surpris dans son sommeil, sursaute. Il s'étonne de me voir à cette heure de la nuit, à côté de lui. Je lui raconte exactement ce qui s'est passé, ce que les dieux et nos pénates m'ont révélé...

– Oui, nous avons bien une double origine et je me suis trompé 725 d'ancêtre, me confie-t-il troublé. Énée, je me souviens maintenant de la prophétie de Cassandre, elle nous annonçait elle aussi un avenir pour notre race en Hespérie. Mais qui aurait pu croire que des Troyens accosteraient sur des rivages italiens. Puisque Apollon nous a ainsi avertis de notre erreur, demain larguons les 730 amarres et reprenons encore une fois notre course interminable, sur la mer immense.

À l'aube, je convoque les hommes :

– Compagnons, nous devons abandonner nos maisons pour tout recommencer ailleurs ! Je sais, cela vous demande du 735 courage, mais nos dieux protecteurs m'ont éclairé cette nuit. Nous nous sommes trompés de cap. Il faut reprendre la mer. Ne désespérez pas, n'ayez pas peur, nous arriverons tous ensemble à vaincre le malheur, et à fonder notre nouvelle patrie.

Tous se dispersent en silence. Comment annoncer à leurs 740 femmes que cette peste qui nous menace de mort est un signe des dieux, elles qui ont effectué avec piété tous les rituels sacrés ?

4

UNE SI LONGUE ERRANCE

Nos navires gagnent rapidement le large et, comme si la douleur de l'exil ne suffisait pas, une tempête se lève. Les vents s'engouffrent dans nos voiles, la mer devient dangereuse et nos
745 bateaux sur la houle[1] ressemblent à des jouets d'enfants. Nous perdons le cap. Comme il serait tentant de se laisser emporter pour ne plus lutter.

Palinure à la barre m'avoue qu'il a bien du mal à discerner le jour du crépuscule tant les nuages noirs se sont amoncelés. Il
750 n'arrive plus à retrouver sa route. Pendant trois jours et trois nuits nous dérivons, à l'aube du quatrième jour, enfin une terre est en vue. Plus nous nous en rapprochons, plus je distingue un panache de fumée qui s'élève au-dessus des hautes montagnes. On affale les voiles et sans relâche les matelots rament jusqu'au
755 rivage. Je ne sais pas encore que nous nous trouvons sur les rives des Strophades*, des îles habitées par les trois Harpies : Céléno et ses sœurs. Jamais plus cruels monstres n'ont surgi des ondes du Styx, le fleuve des Enfers. Elles ont un visage de femme,

---

1. **Houle** : mouvement des vagues.

émacié et pâle comme la mort, un corps d'oiseau, des mains en
serres d'aigle. Leur odeur est infecte. Brutales et rapides comme
la tempête, elles ravissent l'âme des morts, pour l'emporter aux
Enfers, et les jeunes enfants.

Nous voici donc au port cherchant de quoi manger et que voyons-
nous dans les plaines ? Des troupeaux de bœufs bien gras et de
chèvres, qui ne sont pas gardés. Nous courons armes au poing,
heureux de tomber sur d'aussi belles prises. Jupiter lui-même
aura sa part ! Et bientôt, à l'abri d'une anse près du rivage, nous
dressons des lits de table pour dévorer notre succulent festin. Mais
les Harpies nous guettent depuis longtemps. Elles s'abattent sur
nos viandes en poussant des cris sinistres et souillent notre repas
de leur contact immonde ; leur odeur repoussante nous empeste.

– Replions-nous et cherchons un autre endroit plus protégé
sous le surplomb d'un rocher.

Mais à peine avons-nous dressé les tables et placé le feu sous
les autels pour griller les offrandes dont la fumée odorante

Représentation
de la harpie,
amphore
à figures noires
en céramique.
Vᵉ siècle av. J.-C.

montera jusqu'aux dieux, qu'elles attaquent à nouveau. Elles nous menacent de leurs serres crochues.

– Aux armes, compagnons ! Combattons ces monstres de malheur !

780 Je n'ai pas besoin de le leur répéter : ils sortent leurs épées, les dissimulent dans les hautes herbes, prêts à frapper. Misène qui fait le guet nous donne le signal en soufflant dans sa trompe de bronze, dès qu'il les aperçoit.

– À l'attaque !

785 Nous nous ruons tous sur les Harpies pour tenter de les tuer, mais comment les atteindre car leurs plumes forment une véritable armure ? Elles s'envolent en laissant derrière elles, leur odeur fétide et nos parts de viande à moitié dévorées. Mais Céléno, cette prophétesse de malheur, s'est posée sur une roche 790 escarpée pour nous invectiver :

– Énée, toi et tes compagnons, vous avez tué nos bœufs et abattu nos chèvres et maintenant, vous voulez nous apporter la guerre et nous chasser du royaume de nos pères alors que nous ne vous avons rien fait ? Écoutez-moi bien et gravez bien dans vos 795 mémoires mes paroles : ce sont celles de Jupiter à Apollon. Il me les a transmises à moi, la première des Furies, et je vous les transmets à mon tour : vous irez en Italie par la force des vents, subissant de terribles épreuves. On vous permettra d'entrer dans les ports. Mais, avant d'entourer de murs la ville qui vous est donnée, une terrible 800 famine vous réduira à ronger vos tables, à les broyer avec vos dents, parce que vous avez été injustes envers nous, en voulant nous tuer.

Avant que nous ayons eu le temps de réagir, Céléno s'envole d'un coup d'aile et s'enfuit dans la forêt. Mes compagnons, si courageux habituellement, sont pris d'une frayeur soudaine qui 805 leur glace le sang.

– Énée ! Énée ! me supplient-ils livides[1], ce n'est plus par les armes mais par nos prières que nous devons obtenir la paix avec ces divinités ou ces oiseaux maudits !

Alors, mon père Anchise, les mains tendues vers le ciel, invoque les grands dieux, en leur promettant de justes honneurs :

– Dieux ! écartez de nous toutes ces malédictions, détournez le malheur ! Soyez-nous favorables, sauvez-nous !

Puis il crie à chaque chef de navire :

– Tranchez les amarres qui nous retiennent ici, et gagnons le large, fuyons avant qu'il ne soit trop tard…

Une fois encore, nous reprenons la mer. Quand nous apercevons les sommets brumeux de Leucate* et le temple d'Apollon, bien connus des marins, épuisés de fatigue, nous faisons escale sur le rivage d'Actium•. Nous nous purifions aussitôt en l'honneur de Jupiter et nous nous acquittons de nos vœux. Nous ne resterons pas ici longtemps. Pourtant les jeunes, heureux d'avoir échappé à la mort, d'avoir pu fuir tant d'ennemis, s'exercent à la lutte dans la palestre[2], comme ils le faisaient à Troie. Nous savons tous qu'il faudra reprendre la mer tôt ou tard mais chacun veut oublier un instant le long exil qui nous ballotte au gré des vents.

Quelque temps plus tard, quand le soleil parvient au terme du grand cercle de l'année, l'hiver glacial arrive. Alors, je décide qu'il faut remonter dans nos navires. Mais avant d'embarquer, je fais fixer aux montants des portes de la palestre un grand bouclier de bronze, trophée pris sur un guerrier grec, il témoignera de notre courage.

---

1. **Livide** : pâle.
2. **Palestre** : en Grèce ancienne, cour centrale entourée de vestiaires où les garçons font de la gymnastique et de la lutte.

● Actium est un promontoire du sud de l'Épire, sur la côte ouest de la Grèce. C'est là qu'Octave Auguste vainc la flotte d'Antoine et de Cléopâtre en 31 av. J.-C.

– Maintenant, quittons le port, que chacun reprenne sa place sur les bancs des rameurs et rivalise d'ardeur, compagnons, pour nous éloigner du rivage et nous pousser en haute mer !

835 Combien de jours avons-nous navigué avant d'entrer dans le port de Chaones● ? À peine arrivés, une rumeur nous intrigue. Hélénus, le fils de Priam, régnerait au milieu des villes grecques avec le sceptre de Pyrrhus. Et Andromaque, la femme tant aimée d'Hector, l'aurait épousé. Est-ce vrai ? Impatients de connaître
840 comment Hélénus a pu arriver sur le trône, nous courons vers la haute ville de Buthrote* pour le rencontrer. Mais une cérémonie funèbre nous empêche d'avancer. Andromaque ! Que fait-elle là ? Elle verse une libation sur un tombeau dédié à Hector. C'est là qu'elle vient pleurer, mais, en relevant la tête, elle
845 m'aperçoit :

– Énée, est-ce bien toi, fils de Vénus, avec ces armes troyennes ? Tu es vivant ou est-ce un songe ? me demande-t-elle en larmes.

Je suis si bouleversé que je balbutie :

– Oui, c'est bien moi, je vis, mais dans quelle détresse ! Mais
850 toi, Andromaque, es-tu encore l'épouse de Pyrrhus ?

Elle baisse la tête et murmure d'une voix lasse :

– Bienheureuse la vierge Polyxène qui mourut sur le tombeau d'Achille devant les murs de Troie ! Elle qui n'a pas subi le déshonneur du tirage au sort réservé aux esclaves, ni couché en captive
855 dans le lit du vainqueur, son maître... Troie était en cendres, quand je fus traînée sur des mers lointaines, loin de ma patrie, comme tant d'autres femmes captives. J'ai enduré le mépris de Pyrrhus et son insolente jeunesse. Quand il s'est épris d'Hermione,

● Chaones est le nom du port de la Chaonie*, région d'Épire gouvernée par Hélénus.

la fille d'Hélène et de Ménélas, moi sa servante, il m'a passée
60 comme une chose à son serviteur Hélénus. Mais Oreste voyant
Pyrrhus lui ravir sa fiancée, fou de jalousie, l'a surpris à l'improviste pour l'assassiner. Pyrrhus mort, une partie de son royaume
revint à Hélénus. Et en mémoire du Troyen Chaon, il l'a appelé
la Chaonie. Il a bâti Pergame, une citadelle semblable à celle de
365 Troie ! Mais toi, dis-moi quels destins t'ont amené jusqu'ici, ou
bien quel dieu t'a jeté à l'improviste sur nos rivages ? Et Ascagne,
ton fils, est-il avec toi ? Lui que tu chérissais tant, quand Troie
combattait ! Se souvient-il encore de sa mère ? Crois-tu qu'il sera
un héros, comme toi ou comme Hector, son oncle ?

370 Je suis si ému que les mots me manquent. Depuis combien
de temps luttons-nous pour survivre, pour fonder enfin notre
patrie… Je ne sais pas comment lui raconter notre longue errance
sur la mer, croyant un jour nous installer et le lendemain devant
y renoncer. Comment lui confier ce que je sais désormais : je suis
375 le lien nécessaire entre Anchise et Ascagne, un lien entre le passé
et l'avenir, entre la mémoire de nos ancêtres et le nouveau monde
que mon fils bâtira pour en écrire l'histoire. Et c'est pour tout
cela, pour que nos pénates soient enfin dignement honorés dans
la ville choisie par les dieux, que je me bats contre les hommes,
380 contre la mer, contre les monstres qui tour à tour m'assaillent.
Prostré, je suis incapable de répondre à Andromaque.

Quelques instants plus tard, Hélénus escorté par de nombreux
soldats nous rejoint Aussitôt, il m'identifie moi et mes compagnons restés un peu plus loin.

385 – Allons, vous tous, venez dans ma demeure, je suis si heureux
de retrouver des Troyens ! Et il pleure…

En chemin, je reconnais Pergame, cette petite citadelle est bâtie
comme la grande de Troie, et mon cœur se serre. Mais je dois

me réjouir, je suis dans une ville amie, et le roi nous reçoit sous
890 ses vastes portiques.

Hélénus, une coupe à la main, répand les libations en l'honneur de Bacchus*, devant les mets servis dans la vaisselle d'or,
et mes compagnons goûtent enfin, pour un temps, le plaisir du
luxe et de la volupté[1].

895 Mais un jour, les vents appellent nos voiles ! Je sais qu'il nous
faut repartir.

– Hélénus, toi qui es devin et l'interprète des dieux, toi qui sais
entendre ce que veut Apollon, toi qui comprends la course des
astres, le langage des oiseaux, les signes de leurs ailes •, dis-moi
900 quels sont les dangers à éviter ? Des oracles pleins d'espoir m'ont
révélé ma route, tous les dieux ont accepté que j'atteigne l'Italie.
Sauf la Harpie Céléno. Elle m'a annoncé que sa vengeance serait
terrible ! Nous devrons affronter les plus grands périls et, enfin
arrivés au bout de notre long voyage sur le rivage d'Italie, nous
905 mourrons de faim. Sais-tu, toi, comment surmonter de pareilles
épreuves ?

Hélénus avant de me répondre décide d'immoler des taureaux
et d'implorer la paix des dieux. Je prie moi aussi Apollon et j'attends angoissé ce que les dieux vont révéler.

910 Hélénus parle enfin :

– Fils d'une déesse, oui c'est vrai, tu vas par les mers sous les
plus hauts auspices[2]. Jupiter, le roi des dieux, conduit ainsi le
cours des destins et les événements qu'il ordonne. Mes paroles
ne t'éclaireront que sur quelques points, afin que tu traverses les

---

1. **Volupté** : plaisir des sens.
2. **Auspices** : augures, présages tirés
   de l'observation des oiseaux.

● Les astres et les oiseaux sont des éléments
: qui indiquent la volonté des dieux.

915 mers, sans trop de risque, pour te fixer enfin dans un port d'Ausonie●. Mais pour le reste, les trois Parques*, maîtresses du sort des mortels, ne veulent pas qu'Hélénus le sache. Junon leur interdit de le dire.

Je l'écoute avidement pour ne rien oublier.

920 – Énée, tu crois que l'Italie est proche et tu te prépares à entrer dans ses ports. Mais il n'en est rien, une longue route t'en sépare encore ! Tu devras, avant d'établir ta ville, naviguer dans les eaux de la mer d'Ausonie, te rendre aux lacs infernaux, aborder l'île de Circé*, la magicienne aux redoutables pouvoirs.
925 Je vais te révéler les signes qui t'indiqueront que tu es arrivé et surtout retiens-les bien. Lorsque tu découvriras, près de la rive d'un fleuve, une énorme truie blanche couchée sous les chênes verts, avec trente petits aussi blancs qu'elle et qui se pressent autour de ses mamelles, ce sera la fin de tes épreuves et le
930 lieu où tu bâtiras ta ville. Quant à la prédiction de la Harpie, ne t'effraie pas d'avoir à mordre dans tes tables. Les destins trouveront leur voie. Invoque Apollon, il t'aidera. Mais fuis les côtes de la rive italienne, tout près d'ici, où les vagues de notre mer déferlent. Toutes les villes qui s'y trouvent sont habitées
935 par des Grecs. Écoute-moi bien, lorsque ta flotte passera par l'autre bord, et mouillera au-delà des mers, tu commenceras à t'acquitter de tes vœux. Surtout n'oublie pas, couvre-toi la tête d'un voile pourpre, tes compagnons aussi, de peur qu'à travers les flammes saintes montant des autels, au cours de
940 la cérémonie sacrée, un visage ennemi surgisse et n'altère ces présages. Observez, toi et tes compagnons, ce rite dans tous vos sacrifices.

● L'Ausonie désigne l'Italie.

« Lorsque le vent te portera vers les bords de la Sicile, dans le détroit de Pélore, longe la terre à gauche et prends aussi la mer à gauche. Fais un large détour. Fuis à ta droite les côtes et
945 la mer. Un très violent séisme a détaché autrefois la Sicile de l'Hespérie. Méfie-toi aussi de Charybde, ce monstre femelle née de la Terre et de Neptune. Elle se tient sur son rocher du côté sicilien et domine le détroit tandis qu'un autre monstre, Scylla, née du dieu marin Phorcys, guette et attire les marins du
950 côté italien, pour mieux les aspirer dans les tourbillons de son gouffre. Scylla est horrible : femme de la tête jusqu'au buste ; hydre[1] le reste du corps avec un ventre de loup terminé par des queues de dauphin... Mieux vaut passer au large, même si cela retarde ta course que de voir sortir Scylla de sa caverne et
955 entendre aboyer les têtes de chiens qui lui entourent la taille comme une ceinture. Et pour finir, si tu penses que je suis vraiment devin et prophète d'Apollon, je te donnerai encore ce conseil, fils de Vénus, et celui-ci vaut plus que tous les autres : adore en premier, dans tes prières, la grande déesse Junon,
960 adresse-lui tes vœux les plus fervents ; et qu'en l'implorant tes offrandes triomphent de sa puissance souveraine. Alors vainqueur, laissant la Trinacrie[2] derrière toi, tu auras enfin la voie libre vers l'Italie.

« Souviens-toi, souviens-toi bien de ce que je te dévoile. Arrivé
965 là-bas en Italie, lorsque tu seras près de la ville de Cumes et des lacs divins, dans les forêts de l'Averne, tu trouveras sous un rocher la Sibylle, une prophétesse qui en transe chante les destins et confie aux feuilles des signes et des noms⬤. La prophétesse

---

1. **Hydre** : serpent monstrueux.
2. **Trinacrie** : autre nom de la Sicile.

⬤ **La Sibylle de Cumes, en Campanie (Italie),** est une prophétesse d'Apollon. La grotte qu'elle habite près du lac Averne donne accès aux Enfers.

dispose tous les oracles inscrits sur ces feuilles dans un certain
ordre et les laisse ainsi rangés, enfermés dans sa grotte. Mais si
jamais la porte s'entrouvre, les feuilles se dispersent au vent. La
Sibylle ne prend jamais la peine de les rattraper et de rétablir
l'ordre des oracles. Celui qui l'a consultée repart alors sans
aucune réponse, en maudissant son antre. Mais toi, quoi qu'il
arrive, même si tes compagnons protestent, affirmant que tu
perds ton temps et que tout cela retarde le moment de toucher
enfin les rives d'Italie, surtout ne renonce pas à rencontrer la
prêtresse. Insiste pour qu'elle chante ses oracles, demande-lui
pour toi de desserrer les dents et de te faire entendre sa voix. Elle
t'instruira sur les peuples d'Italie, sur les guerres qui t'attendent,
sur la façon dont tu pourras fuir ou supporter chaque épreuve.
Voilà ce que ma voix doit t'apprendre. Allons ! Va ! Courage ! Et
par tes hauts faits relève jusqu'au ciel l'honneur de Troie !

Une fois encore, il nous faut repartir... Déjà Hélénus fait porter
sur nos navires des vases de bronze comme ceux du temple de
Jupiter à Dodone● ; des présents ciselés d'or et d'ivoire, une
cuirasse de mailles fines tressées de trois fils d'or, un casque
magnifique, tout un trésor d'argent. Il nous fournit des pilotes
avisés pour conduire les navires troyens de l'autre côté de la mer,
des chevaux. Il arme mes compagnons. Et Anchise lui aussi
reçoit des présents dignes de son rang.

● À Dodone, en Épire, se trouvait
un sanctuaire de Zeus qui délivrait
des oracles.

– Appareillons[1] maintenant, profitons des vents ! ordonne mon père à tous, et nous suivons, moi le premier, ses précieux conseils

995 – Anchise, toi que Vénus a choisi pour époux, lui dit Hélénus, voici devant toi la terre d'Ausonie, rejoins-la toutes voiles dehors, mais elle est encore loin. Va, tu es un père comblé par la piété de ton fils. Mais je ne vous retiens pas plus longtemps...

– Ascagne, mon petit, mon cher petit, intervient Andromaque,
1000 voici pour toi de belles étoffes et ce court manteau brodé par les Phrygiens. Je te les offre pour que tu te souviennes de l'épouse d'Hector. Prends ces derniers présents qui te viendront des tiens, toi la seule image qui me reste de mon fils Astyanax. Il avait tes yeux, tes mains, ton visage et maintenant il deviendrait un
1005 homme, comme toi, poursuit Andromaque, le visage défait.

Je vois qu'elle a pleuré. Moi aussi je suis ému, tant de souvenirs, tant de souffrances aussi. Vivez tous les deux, soyez heureux, Hélénus et Andromaque, votre destin s'est accompli. Le nôtre nous entraîne de destin en destin. Vous, vous pouvez
1010 vous reposer. Mais nous, nous devons labourer les plaines de la mer avec nos navires. Cette terre d'Ausonie qui recule sans cesse pour nous, vous n'avez pas à la chercher puisque vous avez bâti, ici, une petite Troie à l'image de la grande. Mais un jour, j'en suis certain, nos peuples, nos villes sœurs, nous les rassemblerons,
1015 toutes deux en une seule Troie, dans nos cœurs...

La nuit est à mi-course, j'ai rejoint Palinure, infatigable à l'avant du navire qui glisse sur la mer obscure. Il cherche les meilleurs vents, observe les étoiles. Tout est calme, me dit-il, sois tranquille. Les dieux sont avec nous.

---

1. **Appareiller** : quitter le port et prendre la mer.

5

POURQUOI TANT DE MALHEURS ?

L'aube est à peine levée quand Achate crie :

– L'Italie ! L'Italie !

– L'Italie ! reprennent en chœur mes compagnons.

– Dieux, seigneurs de la mer et des tempêtes du ciel, donnez-nous une bonne route et de bons vents, prie Anchise à la poupe du navire ; et il leur offre une libation de vin.

– Terre en vue ! Énée ! m'interpellent mes hommes.

Nous tournons nos proues[1] vers le rivage. Un port est caché entre deux rochers hauts comme des murailles. Je ne vois pas de temple.

– Ne faites pas descendre les hommes des navires, je pars en reconnaissance avec Anchise !

Le premier présage que nous voyons nous semble de mauvais augure : quatre chevaux blancs paissent dans la plaine.

– Cette terre est une terre hostile, remarque Anchise. C'est pour le combat qu'on arme les chevaux et ces bêtes nous menacent de guerre. Mais c'est vrai qu'on les habitue aussi à

1. **Proue** : partie avant d'un navire.

être attelées à un char, pour la course et il peut aussi y avoir un espoir de paix.

1040 — Je ne pense pas et n'en prenons pas le risque, nos hommes sont épuisés.

Alors invoquant la déesse Minerve, la guerrière, en nous couvrant la tête d'un voile comme nous l'a recommandé Hélénus, et offrant à Junon ce qu'il faut pour la contenter, nous repartons vers nos navires. Il vaut mieux quitter ces campagnes inquié-
1045 tantes habitées par des Grecs.

Quelque temps plus tard, nous découvrons le golfe de Tarente*, la ville d'Hercule, si ce que l'on raconte est vrai. Plus loin encore surgissant de la mer : l'Etna●. Et nous entendons tous l'immense gémissement des vagues qui se fracassent sur les rochers et l'eau
1050 écumante mêlée de sable qui tourbillonne.

— Nous allons droit sur la terrible Charybde ! me crie mon père, voici les écueils dont te parlait Hélénus. Vite, poussez sur vos rames ! Compagnons, redoublez d'efforts, éloignons-nous !

Tous s'empressent de lui obéir. Palinure, le premier, vire
1055 à gauche et tous le suivent. Mais le roulis[1] et la houle sont si forts que nos bateaux sont soulevés jusqu'au ciel avant d'être submergés. Nous dérivons malgré tous nos efforts, impuissants contre les éléments qui se déchaînent. Nous avons perdu le cap. Par chance, épuisés mais sains et saufs, nous arrivons à aborder
1060 enfin sur un autre rivage. Le port est à l'abri des vents mais c'est étrange, il est immense, démesuré.

— Nous installerons notre campement sous le couvert des forêts propose Anchise. La nuit arrive.

---

1. **Roulis** : mouvement d'un navire sous l'effet des vagues.

● L'Etna est un volcan de Sicile.

Au loin, l'Etna en flammes crache de ses entrailles des pierres en fusion. Il bouillonne et déborde. Un nuage noir flotte au-dessus de son cratère qui se répand en cendres sur le sol. Cachés dans la forêt, nous subissons ce monstrueux prodige, sans savoir quel dieu est à l'origine de tout ce fracas, et la lune prisonnière des nuages nous rend la nuit un peu plus noire.

– Qui va là !

Un des gardes donne l'alerte. Le soleil est à peine levé.

— Que se passe-t-il ? J'interpelle Achate lorsque j'aperçois une forme d'une maigreur incroyable. Un homme, sale, avec une barbe dévorant son visage, vêtu de loques[1] retenues par des épines, se traîne vers nous. Il est horrible à voir. Dès qu'il comprend que nous sommes troyens, l'homme se met à trembler, commence à fuir, se ravise et revient sur ses pas.

Nous, nous sommes déjà sur le rivage, prêts à embarquer.

— Je vous en supplie, crie-t-il, par les astres, par les dieux d'en haut, par cette lumière du ciel que nous respirons, je vous en supplie, emmenez-moi avec vous, Troyens ! Je suis grec, oui, je l'avoue ; et j'ai combattu Troie et les vôtres. Alors si vous jugez que nous avons commis contre vous un grave crime, noyez-moi, jetez-moi dans la mer ! Si je meurs, je serai content que ce soit d'une main humaine.

Je ne comprends rien à ces propos incohérents ! Que fait-il seul sur cette île ? Anchise le premier a pitié de lui et lui tend la main.

– Je suis d'Ithaque*, continue l'homme, c'est ma patrie, j'accompagnais Ulysse. Je m'appelle Achéménide, mon père était pauvre, et je me suis engagé pour partir combattre Troie, nous raconte-t-il, et nous l'écoutons silencieux.

---

1. **Loques** : lambeaux de vêtements.

— Mes compagnons et moi, avec Ulysse, nous avons abordé comme vous cette île, mais elle est habitée par un Cyclope. Il nous a pris au piège dans sa caverne●. Il a dévoré plusieurs de nos compagnons sous nos yeux, jusqu'à ce qu'Ulysse l'enivre et que nous réussissions à crever son œil. Mais mes amis, tellement pressés de s'enfuir, sont repartis sans m'attendre. Ils m'ont oublié ici. Je suis prisonnier de ce monstre qui se repaît de chair fraîche. Ce Cyclope est si gigantesque que son crâne cogne les étoiles. Ô dieux, délivrez l'univers d'un tel fléau ! Fuyez, malheureux ! fuyez ! Rompez vos amarres et poussez au large. Car il existe au moins une centaine de monstres comme le Cyclope Polyphème, sur cette île. Ils errent des anses du rivage aux plus hautes montagnes. Cela fait longtemps que je me traîne dans ces forêts, dormant dans des grottes abandonnées par les bêtes sauvages. Du haut d'un rocher, je guette les Cyclopes, tremblant dès que j'entends leur pas ou leur voix. Je me nourris comme je peux, de baies, de racines et de plantes, espérant tous les jours apercevoir un navire à l'horizon ! J'ai vu votre flotte accoster, ma vie est entre vos mains, quelle qu'en soit l'issue, je me livre à vous. Je suis à bout...

À peine a-t-il terminé son histoire qu'au sommet de la montagne, Polyphème le monstrueux Cyclope arrive vers nous. Il s'avance dans la plaine, un pin ébranché lui sert de canne pour guider ses pas et ses brebis, son unique plaisir, l'entourent en gambadant. Il va jusqu'au rivage, lave dans l'eau de la mer le sang qui coule de son œil crevé. Il grince des dents en gémissant. Et il a beau être debout loin du rivage, au milieu des vagues, l'eau ne lui monte qu'aux genoux.

● Le récit qui suit reprend un épisode
⋮ célèbre du voyage d'Ulysse.

Tremblants de peur et le plus silencieusement possible, nous coupons les amarres, le Grec d'Ithaque part avec nous.

– Ramez aussi vite que possible ! ordonne Achate, à tous les hommes.

Mais le Cyclope a deviné notre présence et se retourne vers le bruit de nos voix. Quand il comprend que nous sommes déjà hors de portée de sa gigantesque main, Polyphème pousse un tel cri de fureur qu'il provoque un tremblement de terre jusqu'en Italie, déclenchant une nouvelle éruption de l'Etna. La mer aussi en est ébranlée. Alors, surgissent des bois et des hautes montagnes, d'autres Cyclopes de sa race. Ils se ruent vers les ports, courent le long du rivage. Leur tête épouvantable touche le ciel et de leur unique œil torve[1], comme des prédateurs, ils nous observent, prêts à fondre sur leur proie.

– Nous sommes perdus, murmurent les hommes glacés d'effroi. Nous allons tous mourir, dévorés par ces monstres ! Ils vont entrer dans la mer !

Je leur crie :

– Tendez vos voiles que le vent s'y engouffre ! C'est notre seul espoir ! Et prions les dieux. Nous ne pouvons pas passer entre Scylla et Charybde, Hélénus me l'a déconseillé. Si nous naviguons près de l'une ou de l'autre, c'est la mort assurée. Rebroussons chemin. Regardez, le vent du nord se lève ! Borée vient nous aider !

À ces mots tous reprennent courage. Bientôt nous doublons les bouches du Pantagias, le golfe de Mégare, Thapsus au ras des flots. Et Achéménide, notre malheureux compagnon grec, nous indique tous ces rivages abordés avec Ulysse autrefois.

---

1. **Torve** : qui regarde de travers.

Il y a une île en Sicile qui fait face aux houles de Plémyrium, Ortygie. Nous y faisons escale pour vénérer les grandes divinités de ce lieu comme nous l'a demandé Hélénus. Ensuite, il faut repartir, raser les hautes falaises du Pachynum, en prenant garde aux récifs. Enfin Camarine apparaît dans le lointain. Agrigente et ses puissantes murailles, bâtie sur un escarpement. Et après tant de jours passés en mer, tant de jours à carguer[1] les voiles, à dormir inquiets à l'avant des navires pour éviter les écueils, nous arrivons au port de Drépane. Mais Anchise sent que ses forces le trahissent, il a supporté tant d'épreuves à Troie comme sur les mers qu'il est très affaibli. Il est mourant. Je le pressens, il ne poursuivra pas le voyage plus loin. Il ne verra pas la terre d'Hespérie, celle où j'installerai nos pénates. Il ne verra pas son petit-fils Ascagne grandir. Comment vivrai-je sans celui à qui je confiais mes peurs et mes soucis ? Pourquoi est-ce aujourd'hui qu'il me laisse seul, moi qui suis si désespéré ? Hélénus ne m'avait pas prédit sa fin, ni cette horrible Harpie !

J'ai veillé Anchise toute la nuit, il est mort au petit matin.

– Ô père bien-aimé, comme vous me manquerez et à nos compagnons aussi. Nous nous efforcerons d'être dignes de tout ce que vous nous avez transmis.

Et tandis que je pleure, mon fils Ascagne se serre contre moi. C'est lui, désormais, l'avenir de notre nouvelle patrie. Puisse-t-il recevoir de son grand-père la force de surmonter les épreuves, pour vivre libre.

Le temps du deuil passé, il faut continuer notre voyage.

---

1. **Carguer** : fixer une voile à un mât.

– Compagnons ! Quelle que soit notre tristesse, nous devons
175 repartir, les terres d'Italie se rapprochent. Ne perdons pas
courage ! Ensemble nous arriverons un jour, à bon port.

Quelques jours plus tard, quittant le tombeau d'Anchise,
honoré par nos libations, nous retournons vers le rivage et, le
cœur triste, nous poussons nos navires vers la haute mer.
180 Nous ignorons encore que Junon nous poursuit. Elle ressasse
sans fin le jugement de Pâris affirmant qu'Hélène était plus belle
qu'elle. Dans sa rancœur[1] et sa colère, elle hait tous les Troyens
jusqu'à les faire périr sans distinction, dans la chute de Troie.
Maintenant, elle veut aussi par tous les moyens anéantir les
185 rescapés de l'incendie et des armes des guerriers grecs.
Elle nous guette depuis longtemps. Mais nous, espérant que
les dieux nous seront enfin favorables, nous naviguons en haute
mer, heureux de perdre de vue la Sicile.
Comment pourrions-nous savoir que, pendant ce temps-là,
1190 Junon s'interroge : « Je serais vaincue, se dit-elle, si je n'arrive pas
à détourner le roi des Troyens de l'Italie. Les destins aujourd'hui
m'en empêchent. Mais Minerve n'a-t-elle pas, elle, mis le feu
à la flotte des Grecs pour les engloutir au plus profond de la
mer parce que l'un des leurs, l'ignoble Ajax, l'avait offensée ?
1195 Disperser leurs navires, retourner la mer sous la force des vents,
les entraîner dans un tourbillon pour mieux les noyer... Est-ce
que moi, la reine des dieux, moi la sœur et l'épouse de Jupiter,
je n'en aurai pas le pouvoir ? Cela fait tellement d'années que
je lutte contre un seul peuple, sans jamais en triompher ! Qui
1200 adorera la puissance de Junon ? Qui déposera ses offrandes

1. **Rancœur** : ressentiment d'une personne
offensée.

sur mon autel, si je ne sors pas victorieuse de cette guerre sans merci ? »

Et tournant toutes ses pensées dans sa tête, elle arrive au pays des orages. En Éolie, terre toujours chargée des Autans, ces vents
1205 du sud qui apportent la tempête. C'est là, dans une caverne, que réside le roi Éole, imposant son pouvoir aux vents. Il les enchaîne pour refréner leur fureur. Mais, prisonniers au fond de leur grotte, les vents grondent et font résonner la montagne. Éole, le sceptre à la main, les calme et tempère leur colère, sans
1210 cela, le ciel, la mer et même la terre se déchaîneraient, emportant tout sur leur passage. Et Junon vient le supplier :

– Toi qui as le pouvoir d'apaiser ou de soulever les mers sous la force des vents, une race, mon ennemi mortel, navigue sur la mer Tyrrhène*, emportant Troie et ses pénates vaincus en Italie.
1215 Éole, libère les vents, que leur violence les engloutisse, écrase leurs navires ou bien disperse-les, pour que l'on ne retrouve plus que leurs corps flottant à la surface de l'eau ! J'ai près de moi quatorze nymphes au corps parfait. Pour te récompenser de ce service, je te donnerai pour femme Deiopa la plus belle de
1220 toutes. Tu passeras avec elle de longues années et elle te donnera de beaux enfants.

– Ma reine, répond Éole, c'est à toi de savoir ce que tu souhaites, moi j'obéirai à tes ordres ! C'est grâce à toi, que mon empire ici se maintient et à toutes tes faveurs. Les bontés dont Jupiter
1225 m'honore, je te les dois.

Sur ces mots, il retourne sa lance, frappe le flanc creux de la montagne et les vents, les uns derrière les autres, par la porte grande ouverte se ruent sur la Mer.

L'Eurus, le Nautus et aussi l'Africus roulent vers le rivage
1230 des vagues énormes. Nous ne savons rien, nous mortels, de la

cruauté des dieux. Nous voguions paisibles, nos navires fendant la mer d'un sillage blanc d'écume.

Mais soudain les nuages obscurcissent le ciel, le jour devient la nuit. Les cris des hommes effrayés par ce brusque changement de temps montent des navires. Le sifflement des cordages

Éole déchaîne les vents sur les Troyens à la prière de Junon,
plaque d'émail peinte par le Maître de *L'Énéide*, vers 1530. Paris, musée du Louvre.

qui affalent les voiles leur fait écho. Tous comprennent alors qu'ils vont mourir. Ils m'appellent, mais je suis incapable de leur répondre. Tant d'efforts, de lutte, tant de jours à errer brûlés par le sel et le soleil, pour en arriver là ? Ô dieux,
1240 comme nous aurions mieux fait de mourir sous les remparts de Troie, les armes à la main. Pourquoi ne suis-je pas tombé sous les coups d'Achille, là où a été tué Hector, là où le fleuve Simoïs a emporté les boucliers des héros, leurs casques et leurs corps ?

1245   Mais la tempête redouble. Des vagues gigantesques soulèvent les navires. Les rames se brisent sous le choc. Les embarcations se couchent et trois bateaux disparaissent sous la force de Nautus ; trois autres sous celle de l'Eurus. Je vois mon fidèle compagnon Oronte, emporté par une énorme vague qui s'abat
1250 sur lui. Il est entraîné par la force de l'eau, précipité à la mer, avant que son vaisseau ne soit complètement submergé. Des hommes nagent, sans que l'on puisse les secourir, essayant de lutter contre la tempête. Les rames des héros flottent au milieu des planches fracassées des navires, avec leurs armes et les
1255 trésors de Troie, avant de couler au plus profond des eaux. Le navire d'Achate lui aussi est touché. La houle a disjoint la coque de son bateau et il prend dangereusement l'eau.

Je ne sais pas encore que Neptune a entendu les mugissements de mer et la fureur des vents. Émergeant des eaux, il regarde ce
1260 qui se passe à l'horizon.

Et que voit-il ? Notre flotte dispersée, les Troyens en grande difficulté qui vont mourir noyés, et le ciel si noir qu'on ne sait plus si c'est le jour ou bien la nuit... Junon, elle, crie, il faut encore qu'elle manœuvre, complote et se déchaîne. Mais Neptune
1265 convoque deux des vents, l'Eurus et le Zéphir :

– Eh bien ? Qu'est-ce qui vous prend ? Pourquoi tant d'arrogance[1] subitement ? demande-t-il. Comment osez-vous, sans
mon ordre, mêler ciel et terre, et soulever ces vagues gigantesques. Ramenez immédiatement le calme sur la mer, je vous
270 ferai payer vos méfaits, plus tard ! Disparaissez au plus vite et
dites ceci à votre roi : ce n'est pas à lui que l'empire de la mer et le
terrible trident furent donnés par le sort, c'est à moi. Lui, il a tout
pouvoir sur les rochers inhospitaliers de vos demeures. Qu'Éole
se pavane[2] donc au milieu de sa cour et, une fois la prison des
275 vents bien close, qu'il règne sur vous s'il veut.

Et aussitôt dit, Neptune apaise les eaux, met en fuite les nuages
et ramène le soleil. Alors sous un ciel lumineux, le dieu, regardant les flots, laisse aller les chevaux de son char sur les crêtes
des vagues apaisées.

280 Je crie aux sept navires restés dans mon sillage, les autres ont
disparu :

– Dirigez vos bateaux vers le rivage, vers les côtes de la Libye●.
Au fond d'une baie, une île forme un port abrité ! N'ayez pas
peur des énormes falaises, ni des forêts qui descendent vers la
1285 mer, là-bas, nous pourrons accoster sans danger.

Épuisés, brûlés par le sel, les membres endoloris, le visage
creusé, mes compagnons se laissent tomber sur le sable, heureux
de toucher enfin terre.

Achate fait jaillir une étincelle en frottant deux silex. Elle
1290 enflamme des feuilles sèches et des brindilles. Alors les hommes
préparent, malgré leur fatigue, des dons pour Cérès, la déesse
qui rend les épis féconds et protège les moissons, en broyant sur
la pierre les grains secs sauvés de la tempête.

---

1. **Arrogance** : insolence méprisante. ● La Libye désigne l'Afrique.
2. **Se pavaner** : marcher avec orgueil.

Quant à moi, je grimpe sur la falaise cherchant à apercevoir,
1295 sur l'étendue de la vaste mer, si les navires de mes amis Anthée,
et Capys, poussés par le vent, arrivent au port. Rien à l'horizon...
Mais je découvre près du rivage trois cerfs errants, suivis d'une
petite harde[1] qui broutent paisiblement. J'ajuste mon arc et tue
autant de bêtes que nous avons de vaisseaux. Nous pourrons, au
1300 moins, tromper notre faim...

– Mes amis, mes compagnons, avant de manger et de boire le
vin qu'il nous reste, souvenons-nous de tout ce que nous avons
enduré depuis notre départ de Troie. Le poids de nos malheurs
est si lourd à porter... Mais un jour, un dieu y mettra fin. Vous
1305 avez vu de près Charybde et Scylla, les rochers du Cyclope, alors
rappelez-vous de votre courage une fois encore, et n'ayez pas
peur ! Ne soyez pas tristes non plus, qui sait si plus tard, toutes
ces épreuves ne nous paraîtront pas plus douces quand nous
nous les remémorerons. À travers bien des chemins hasardeux,
1310 au péril de notre vie, nous avançons ensemble vers le Latium●.
Là-bas, le royaume de Troie peut renaître ! Alors restez fermes,
gardez-vous pour les jours de bonheur. Et maintenant buvons !

J'essaie de montrer à tous un visage plein d'espoir, même si
je ressens dans mon cœur une profonde souffrance. Je regarde
1315 mes compagnons qui s'empressent autour du gibier percé de
broches et mangent, ne sachant plus très bien s'ils sont vivants
ou morts ! Quant à moi un peu à l'écart, je pleure en silence mes
amis Oronte, Amycus, Lycus, Gyas et tous les autres que la mer
a sans doute engloutis...

---

1. **Harde** : troupe de bêtes sauvages.　　● Le Latium est la région d'Italie où se situe
　　　　　　　　　　　　　　　　　　　　: Rome.

6

L'Amour et la Mort

320 Assommés de fatigue, mes compagnons sombrent dans un profond sommeil. Je ne sais pas encore que ma mère, Vénus, attristée par toutes les épreuves que nous endurons, implore la pitié du dieu des dieux.

– Jupiter ! Toi qui diriges le sort des hommes sous des lois 325 éternelles, toi qui leur fais redouter la puissance de ta foudre, quel crime a pu commettre mon fils Énée ou ses Troyens envers toi ? demande-t-elle en pleurant. Ils ont vu tant des leurs mourir et l'univers entier se fermer devant eux à cause de l'Italie, la terre où ils pourraient s'installer... C'est de là pourtant, qu'un jour, 1330 naîtront les Romains. Réveillant la race de Teucer*, ce sont eux qui tiendront sous leur pouvoir la mer et toutes les terres. Tu me l'avais promis, Père, pourquoi as-tu changé d'avis ? Penser à cet avenir me consolait de la fin tragique de Troie et compensait, par de nouveaux destins, ceux qui nous furent contraires. Mais 1335 le malheur toujours, et encore, poursuit ces hommes sans cesse. Quand mettras-tu fin à leur peine ? Ceux qui ont pu échapper aux mains des Grecs, comme Anthénor, ont déjà fondé leur ville et déposé les armes. Ils profitent d'une paix sans nuages. Nous,

tes enfants, perdus par la vengeance d'un seul être, Junon, nous
1340 sommes abandonnés et rejetés une fois encore, bien loin des
côtes d'Italie. Est-ce là le prix de notre piété ? Est-ce ainsi que tu
rétablis notre royaume ?

Jupiter regarde Vénus, lui sourit et l'embrasse furtivement.

– Sois sans crainte, Vénus, je ne reviendrai pas sur ce que je
1345 t'ai promis. Les destinées des Troyens sont immuables[1] ; tu verras
la ville de Lavinium ● et ses murailles. Et tu y placeras Énée, très
haut, jusqu'aux astres du ciel. Telle est ma volonté et rien ne me
fera changer. Ton fils, puisque c'est son avenir qui te tourmente,
mènera en Italie une grande guerre. Il brisera des peuples fiers,
1350 établira pour ses hommes des lois et des institutions ; élèvera
des murailles. Il régnera pendant trois étés au Latium et dominera, durant trois hivers, les Rutules. Ensuite, son fils, Ascagne,
celui que l'on surnomme Iule, sera souverain à son tour. Il verra
trente longues révolutions du ciel, changera de capitale, fortifiera
1355 Albe la Longue. Et c'est là, pendant trois cents ans, que la royauté
restera aux mains de la race d'Hector, jusqu'au jour où une
prêtresse, Ilia, enfantera deux jumeaux dont le père ne sera autre
que Mars. Allaités par une louve, l'un des deux, Romulus, fondera
les murailles de Mars, et prenant la tête de son peuple, il l'appel-
1360 lera de son nom : Romain. Je n'ai donné aucune limite à cet
Empire romain, elles seront infinies. Junon, elle-même, aussi
incroyable que cela puisse te paraître, aimera ces nouveaux
maîtres du monde, selon ma volonté. Le temps viendra où un
Troyen naîtra d'une lignée bénie et ce sera César. Il étendra l'Em-
1365 pire romain jusqu'à l'Océan et son renom jusqu'aux astres. Il
sera Julius car son nom lui viendra du grand Iule, Ascagne.

---

1. **Immuable** : qui ne peut être changé.

● Lavinium est la ville du Latium
⁞ que va fonder Énée.

Et c'est toi, un jour, qui accueilleras ce héros au ciel. Es-tu satisfaite ? Maintenant, Mercure*, ordonne Jupiter, ouvre les portes de Carthage● de peur que la reine Didon, ignorant quel est leur
70 destin, ne chasse les Troyens hors de ses frontières !

Mercure volant à travers les airs exécute aussitôt les ordres de Jupiter. La reine désormais accueillera les Troyens avec bienveillance.

La fatigue ne suffit pas à m'endormir. Assailli par mille pensées,
75 par mille craintes, je me tourne et me retourne sur ma couche. Où sommes-nous exactement ? À l'aube, n'y tenant plus, je me lève. La flotte cachée à l'abri des rochers est en sécurité. Puis, réveillant Achate, je pars avec lui explorer les lieux. Il me suit, ses deux javelots à la main.

380 – Eh vous deux ! vous n'auriez pas rencontré mes sœurs chassant dans la forêt ? Elles portent leur carquois à la ceinture.

Nous sursautons, surpris. Une jeune fille, l'arc sur l'épaule, les cheveux dénoués flottant sur ses épaules, se tient juste devant nous. Qui est-ce ?

385 – Nous n'avons rencontré personne ! Mais qui es-tu et comment t'appelles-tu, car tu ne ressembles pas à une mortelle et ta voix ne résonne pas comme une voix humaine ? Une déesse ? La sœur d'Apollon ou bien une nymphe ? Qui que tu sois, aide-nous ! Dis-nous où nous sommes, sur quelles rives du monde avons-
390 nous abordé ? Nous errons depuis si longtemps poussés par les vents sur les vastes mers... Aide-nous, et nous sacrifierons sur tes autels les plus belles offrandes.

● Carthage est la ville fondée en Afrique du nord par Didon, princesse de Tyr (Phénicie). Trois guerres opposent Romains et Carthaginois entre 264 et 146 av. J.-C. : les guerres puniques.

– Je ne suis pas digne d'un tel honneur, nous répond la jeune fille. Tu te trouves près de la ville d'Agénor, dans le royaume punique des Tyriens. Mais c'est le pays des Libyens, une race agressive, toujours prête à la guerre. Le pouvoir est aux mains de la reine Didon. Elle est partie de Tyr pour fuir son frère. Son histoire est une longue suite de crimes et de péripéties. Didon était mariée à Sychée. Il possédait les plus riches terres de Phénicie. Elle l'aimait avec passion et leur union avait été célébrée sous les meilleurs auspices. Mais le royaume de Tyr appartenait au frère de Didon, Pygmalion, un barbare sans foi ni loi. Sychée, Pygmalion, les deux hommes se haïssaient. Un jour, Pygmalion profita d'un instant d'inattention de Sychée en prière sans ses armes devant les autels des divinités, pour l'assassiner d'un coup d'épée. Peu lui importait l'amour de sa sœur pour son mari. Pygmalion cache habilement son crime, ment à Didon qui se désespère de ne pas voir revenir Sychée. Mais une nuit, en songe, l'ombre de son époux privé de sépulture lui apparaît. Son visage est d'une pâleur étrange. Il lui montre ses plaies, l'autel ensanglanté et lui dévoile tous les aspects du crime dissimulé dans le palais. « Fuis ! lui ordonne-t-il, fuis au plus vite ! Quitte ta patrie ! » Et pour l'aider, il lui ouvre l'accès d'anciens trésors enfouis sous la terre : des monceaux d'or et d'argent... Bouleversée, Didon prépare son départ, cherche des compagnons qui portent à son frère, cet ignoble tyran, une haine irréversible. Déjà, dans le port les navires sont prêts. On les charge d'or et ce trésor tant convoité par Pygmalion vogue bientôt sur la mer. Une femme a réussi à tromper le tyran ! Tous arrivent alors dans ces lieux où se dressent, comme tu le verras, de gigantesques murailles. Et, ils bâtissent la citadelle de Carthage. Mais vous, qui êtes-vous ? De quelles rives venez-vous, et vers lesquelles vous dirigez-vous ?

Je ne peux m'empêcher de soupirer en cherchant mes mots :

– Ô déesse, si je commençais à te raconter tout ce que nous avons enduré jour après jour, il ferait nuit avant que j'aie terminé mon récit. Nous sommes partis de Troie, si jamais tu connais le nom de cette glorieuse cité, errant de mer en mer. La tempête a fini par nous pousser sur les côtes de la Libye. Je suis le pieux Énée qui emporte avec moi, sur ma flotte, mes pénates arrachés à l'ennemi. Ma renommée était si grande qu'elle m'avait fait connaître presque au-delà des cieux... Je cherche l'Italie, la terre de mes pères et ma race descend du très haut Jupiter. J'ai embarqué sur la mer de Phrygie avec vingt navires. Ma mère, Vénus, la divine, m'indiquant la route, j'ai obéi aux oracles qui m'ont été révélés. Mais aujourd'hui, il ne me reste que sept bateaux, la tempête et les vents déchaînés ont dispersé le reste de ma flotte. À présent, je ne suis plus rien, un inconnu manquant de tout et qui parcourt les déserts de Libye, rejeté de l'Europe et de l'Asie.

Vénus sous les traits de cette jeune vierge au carquois émue par mes souffrances m'interrompt :

– Qui que tu sois, la colère des dieux t'a épargné puisque tu vis encore, et que tu es arrivé dans une ville tyrienne. Entre dans cette cité et va trouver la reine, tes compagnons sont en vie ; ta flotte est au complet amarrée en lieu sûr et à l'abri des vents. Continue ta route et là, va jusqu'où te mène le chemin.

Je l'écoute, espérant que ce qu'elle m'annonce est vrai. Mais, à peine a-t-elle fini de parler qu'une lumière resplendit au-dessus de sa tête et qu'un parfum d'ambroisie flotte dans ses cheveux. Elle redevient soudain Vénus, ma mère, cette déesse à la démarche majestueuse... Mais elle disparaît sans que je puisse la retenir par mes cris :

– Ô mère ! Pourquoi faut-il toujours que tu me trompes en m'apparaissant sous les traits d'une autre ? Pourquoi m'est-il
1455 interdit de mettre ma main dans la tienne, pourquoi m'est-il impossible de te parler et de t'écouter sans le truchement[1] de quelqu'un d'autre ?

Mais Vénus se tait. Elle m'entoure, moi et Achate, d'une brume impénétrable qui nous dissimule aux yeux de tous. Nous pour-
1460 rons ainsi avancer dans la ville jusqu'au palais de la reine Didon, sans être retardés par les curieux nous demandant pourquoi nous sommes ici.

– Eh bien, puisque le veulent les dieux, Achate, avançons dans la ville et mêlons-nous au peuple, nous sommes invisibles !
1465 – Que de chantiers en construction et comme je les envie ces Tyriens qui bâtissent leur ville, Énée !

Dans un bois au milieu de la cité, Didon élève un immense temple pour Junon.

– Des portes et des poutres de bronze !
1470 – Là, regarde, Achate, notre histoire est gravée dans la pierre, nos combats et nos guerres, Priam, Achille ! Notre renommée a donc franchi les mers ! C'est par elle, crois-moi, que nous serons sauvés !

Je découvre en pleurant ce que nous avons vécu : Hector traîné
1475 par Achille, Priam suppliant de ses mains décharnées qu'on lui rende le corps de son fils.

Tandis qu'avec Achate, stupéfaits et troublés, nous admirons l'histoire de notre passé ainsi raconté sur les fresques, la reine Didon s'avance parmi la foule, escortée par ses nombreux guer-
1480 riers. Elle encourage les artisans, les presse de finir leur ouvrage

1. **Truchement** : intermédiaire.

et de construire ce qui sera l'avenir de son royaume. Puis, elle monte dans le temple de Junon et s'assoit sur un trône imposant, entourée de sa garde armée.

– Non, c'est impossible ! Anthée, Sergeste, Cloanthe et d'autres compagnons ! Ils ont survécu à la tempête ! s'exclame Achate. Comme j'aimerais les serrer dans mes bras !

– Tu oublies que nous sommes invisibles, une nuée nous entoure... Viens, nos compagnons implorent la reine, rapprochons-nous pour les entendre. Ilionée va parler.

– Ô reine, à qui Jupiter a permis de fonder une ville nouvelle, nous Troyens, traînés par les vents sur toutes les mers, nous t'en prions, préserve nos navires d'un incendie abominable, épargne une race pieuse qui honore les dieux et accepte de mieux nous connaître. Nous ne sommes pas venus t'attaquer et détruire les pénates libyens ou même emporter un butin que nous t'aurions volé... Non, nos cœurs n'ont pas cette violence ni la vengeance amère des vaincus. Nous nous dirigions vers l'Hespérie, la terre de nos ancêtres, quand soudain la tempête et les vents déchaînés ont dispersé nos navires. Nous sommes quelques-uns à avoir pu aborder vos rives. Et nous trouvons, comme dans tant d'autres contrées, une population hostile[1] prête à nous rejeter à la mer. Si vous méprisez à ce point les humains, les dieux s'en souviendront un jour, car ils se souviennent du bien et du mal. Nous refuseras-tu, reine, ton hospitalité ? Nous avions un roi, Énée, juste et pieux, courageux au combat. Si le destin veut qu'il soit encore en vie alors nous n'avons rien à craindre. Autorise-nous à tirer nos navires sur le rivage et à couper des arbres dans vos forêts pour fabriquer des rames afin que nous repartions pour

---

1. **Hostile** : ennemi(e).

l'Italie, une fois que nous aurons retrouvé nos autres compa-
1510 gnons et notre roi. Si Énée a péri en mer et Iule son fils aussi,
alors nous repartirons d'où nous venons et Aceste sera notre roi.

Didon se penchant vers eux leur répond aussitôt :

– N'ayez pas peur, Troyens ! Je règne depuis peu et des
circonstances terribles m'obligent à faire garder mes côtes. Je
1515 sais qui vous êtes, je connais vos exploits, vos malheurs et vos
souffrances... Que vous choisissiez d'aller vers l'Hespérie ou de
rejoindre Aceste, je vous laisserai repartir en sûreté et je vous
aiderai aussi. Mais voulez-vous vous établir ici avec moi, dans
mon royaume, à droits égaux ? La ville que je fonde sera la vôtre.
1520 Tirez au sec vos navires. Si je vous propose de rester, c'est grâce à
votre renommée. Troyen ou Tyrien, il n'y aura pour moi aucune
différence. Quant à votre roi, j'enverrai des hommes sur le long
des côtes pour le retrouver, au cas où il errerait dans une forêt
ou dans d'autres villes.

1525 – Énée ! me souffle Achate, nos navires et nos compagnons
sont sains et saufs, un seul a péri noyé. Tout s'est passé comme
ta mère, Vénus, l'a prédit, nous n'avons plus rien à craindre !

Alors un phénomène étrange se produit, le nuage répandu
par ma mère autour de nous pour que nous passions inaperçus
1530 se déchire ; et comme elle le désirait, j'apparais à Didon dans
la lumière éclatante, beau et noble, en digne fils d'une déesse.

– Reine, je suis celui que tu cherches : Énée le Troyen sauvé
des eaux libyennes. Ô toi qui seule as eu pitié des souffrances
de Troie et de ses rescapés, réduits à néant manquant de tout, tu
1535 nous reçois comme compagnons dans ta ville et dans ton palais ?
Nous serions bien incapables de te remercier pour tout ce que
tu fais pour nous. Que les dieux te récompensent et que soient
bénis tes parents et le jour qui t'a vu naître. Tant que les fleuves

courront à la mer, tant que les ombres se glisseront dans les replis
540 des collines et que le pôle fera paître son troupeau d'étoiles, je
chanterai toujours tes louanges et ta gloire, où que je me trouve.

– Quel sort te poursuit donc, fils d'une déesse, pour qu'après
avoir encouru tant de dangers, il te jette sur nos rives sauvages ?
Mais courage, entrez tous en amis, sous mon toit. Moi aussi,
545 j'ai connu de nombreuses épreuves dont celle de l'exil, avant de
m'installer sur cette terre. C'est pour cela que j'ai de la compas-
sion pour les exilés... Que l'on offre aux dieux des actions de
grâces dans tous les temples ! Et aux compagnons d'Énée restés
près de leurs navires sur le rivage, apportez taureaux, porcs et
550 agneaux gras pour fêter ce jour béni des dieux.

Dès que je le peux, je demande à Achate :

– Redescends vers les navires et surtout reviens vite au palais
avec mon fils Ascagne. Apporte des cadeaux pour la reine : le
manteau rebrodé d'or et le voile bordé de feuilles d'acanthe
555 d'Hélène. Un collier de perles, une couronne de pierreries,
celles de l'aînée des filles de Priam arrachées aux ruines de Troie.
Va, Achate !

Mais pendant que je suis Didon dans son palais où un banquet
nous attend, ma mère Vénus change ses plans. Sous les traits de
1560 mon fils Ascagne, elle fait venir Cupidon*. Il saura enflammer
le cœur de la reine et contrecarrer[1], qui sait, les projets malé-
fiques de Junon, toujours prête à agir. Vénus le devine. Si Didon
est amoureuse de moi, comment pourrait-elle me chasser ou
combattre les Troyens ? Mais je suis si ébloui par la reine, par
1565 le faste de sa cour que j'ignore à cet instant tout de ce que ma
mère manigance. Et lorsque la reine prend dans ses bras Ascagne

---

1. **Contrecarrer** : empêcher, contrarier

et l'embrasse affectueusement, c'est en réalité l'Amour qu'elle étreint. Mon fils, lui, dort déjà dans les hautes forêts d'Idalie, là où ma mère le cache après l'avoir enlevé. Ni Didon, ni moi ne 1570 nous doutons de rien. Elle regarde fascinée Ascagne suspendu à mon cou et qui court de l'un à l'autre. La reine s'amuse de ce jeu d'enfant. Mais, peu à peu, Cupidon la rend amoureuse de moi.

Didon soudain demande le silence :

– Jupiter, dit-elle, toi qui nous donnes les lois de l'hospitalité, 1575 fais que cette journée soit heureuse pour ceux qui viennent de Troie et pour vous aussi, Tyriens qui les accueillez. Qu'elle reste gravée dans toutes les mémoires.

Elle termine son discours dans un tonnerre d'applaudissements.

Tard dans la nuit, je lui raconte encore la guerre de Troie car 1580 elle veut tout savoir de nous, à moins que ce ne soit de moi...

La reine Didon est amoureuse, elle pensait ne plus jamais connaître un tel sentiment depuis la mort de son mari. Et voilà qu'elle est prise au piège de Vénus et de Cupidon. Elle revoit sans cesse dans son sommeil le visage d'Énée. Ses paroles se 1585 gravent dans son cœur. À qui se confier si ce n'est à sa sœur, sa meilleure confidente.

– Anna, mes rêves m'inquiètent et m'effraient, lui dit-elle. Cet Énée, quelle assurance, quelle force ! Il est bien de la race des dieux... Comme il a souffert depuis toute cette guerre. Si je ne 1590 m'étais pas interdit de m'unir à un autre homme après la mort de mon époux, il est le seul pour qui j'aurais une faiblesse. Oui, je te l'avoue, Anna, il m'a émue, touchée et j'en suis bouleversée. Mais plutôt mourir que d'être infidèle à Sychée, mon premier amour !

– Faut-il vraiment que tu prennes le deuil toute ta vie ? Tu 1595 es jeune encore, tu n'as pas eu d'enfant. Recluse dans ton chagrin aucun prétendant n'a réussi à te séduire, mais pourquoi combattre cette fois l'amour que tu désires ? Tu as besoin que quelqu'un te protège des guerres ou des menaces de ton frère. Moi, je crois que les dieux ont dirigé volontairement les navires d'Énée jusqu'ici. Imagine notre ville et notre empire, ma sœur, si un tel mariage se réalisait ? Implore la bienveillance des dieux avec des sacrifices et tâche de retenir le plus longtemps possible ton hôte auprès de toi, prétextant que ce serait la pire des saisons pour repartir.

Didon sait qu'Anna a raison, elle veut qu'Énée reste parce qu'elle l'aime. Elle le cherche partout dans la ville. Combien de sacrifices offre-t-elle aux dieux, à Junon, à Apollon, pour qu'ils acceptent et favorisent ce mariage ? Elle consulte les prêtres pour croire à cet amour impossible.

Un jour Didon retrouve Énée sur les remparts pour lui parler, mais au moment de lui avouer son amour, elle se tait. Le lendemain, elle organise un banquet et lui demande de raconter encore ses exploits car elle ne se lasse pas de les écouter, charmée par sa voix.

Les hôtes à peine partis, elle erre seule et triste dans son palais désert. Même absent, elle voit Énée devant elle, elle respire son odeur, elle entend sa voix. Elle prend dans ses bras Ascagne, il ressemble tellement à son père... Ô, comme ce serait doux le bonheur ! Mais depuis que la reine est amoureuse, elle délaisse la ville ; les travaux se sont arrêtés, la construction des navires dans les ports aussi ; les jeunes ne s'entraînent plus à la guerre. Pendant que Didon brûle d'amour pour Énée, Junon cherche encore à lui nuire. Elle reproche à Vénus d'avoir misé sur la passion de la reine pour protéger son fils. Mais puisqu'elle y tient tant à cet amour, pourquoi ne pas marier ces deux-là ?

– Écoute-moi Vénus, Didon et Énée se préparent pour la grande chasse qui aura lieu demain à l'aube. Voilà ce que je vais faire, j'enverrai un orage de grêle pendant que les cavaliers courront derrière le gibier. L'escorte royale cherchera où s'abriter et se

1630 dispersera dans les taillis. Quant à Didon et Énée, ils se retrouveront par hasard dans la même grotte. J'y serai moi aussi et, si je peux compter sur ta bonne volonté, je les unirais. Elle deviendra sa femme, suggère Junon.

Vénus accepte et rit même de toutes ces ruses...

1635 L'aube se lève. On entend les chiens aboyer aux portes de la ville, flairant déjà le vent. Les meilleurs chasseurs avec leurs filets et leurs épieux les tiennent, suivis par les cavaliers. Didon s'attarde dans sa chambre. Les premiers soldats de sa garde l'attendent avec son cheval qui mâche impatiemment son mors[1].

1640 Enfin, elle arrive enveloppée dans son court manteau brodé passé sur sa robe pourpre. Un nœud enserre ses cheveux, elle porte à l'épaule un carquois d'or. Je m'avance vers elle, Ascagne à mon côté, tout joyeux de participer à la chasse. Les invités s'empressent autour de la reine. Elle est resplendissante.

1645 Bientôt, nous arrivons sur les hautes montagnes et débusquons des chèvres et des cerfs. Ascagne les poursuit espérant traquer un sanglier ou un lion. Mais brusquement, le ciel s'obscurcit, l'orage gronde, suivi d'une averse de grêle. Effrayés, les chasseurs tyriens et troyens se replient et cherchent un abri. Ascagne est avec eux.

1650 Moi je cherche une grotte ou tout autre refuge. J'ignore que ma mère et Junon ont tout manigancé car Didon, seule, sans escorte, se réfugie elle aussi dans la même grotte que moi. Comme elle

---

1. **Mors** : pièce de harnachement passée dans la bouche du cheval pour le diriger.

est désirable. Ses lèvres fines tremblent un peu. Je l'attire vers moi et nous nous aimons.

55   Didon ne sait pas encore que cet instant d'amour la perdra.

– Énée, dit-elle tendrement, je ne veux pas d'un amour furtif et sans lendemain. Marions-nous et montrons-nous au grand jour.

Tout le monde sait que la Renommée● va plus vite que le vent, qu'elle colporte aux portes des villes ses mensonges : au début,
60 ce n'est qu'une petite rumeur qui soudain s'amplifie mais que dit-elle à l'oreille de chacun ? Maintenant qu'Énée, ce héros troyen, est là et que la reine s'est unie à lui, prisonniers de leur passion et tout à leur plaisir, ils oublient le royaume !

Voilà ce que la perfide[1] Junon met sur la bouche de tous les
565 hommes. Le roi Iarbas, qui autrefois accueillit Didon sur ses terres et fut un de ses prétendants évincés, se plaint alors à Jupiter. Pourquoi tolère-t-il la passion de ces deux amants ? Elle n'a que trop duré.

Jupiter le tout-puissant entend la prière du roi. Il convoque
670 Mercure :

– Va jusqu'à Carthage rappeler à Énée quel destin l'attend. Vénus, sa mère, ne l'a pas sauvé deux fois, des griffes des Grecs pour qu'il aime Didon. Il doit, sur les traces de son ancêtre Teucer, fonder sa nouvelle ville en Italie. Mais si lui ne veut pas d'une
675 glorieuse destinée pourquoi en priverait-il son fils Ascagne ? À quoi pense Énée ? Pourquoi s'attarde-t-il ici ? Qu'il reprenne la mer !

Dès qu'il arrive à Carthage, Mercure m'aperçoit dirigeant la construction de nouvelles maisons. Je porte, c'est vrai, une épée

---

1. **Perfide** : sournois, funeste sous des apparences favorables.

● Dans l'Antiquité, la Renommée est une déesse.

1680 constellée de jaspe[1], un manteau de pourpre rebrodé d'or offerts par Didon.

– C'est toi maintenant qui t'occupes d'agrandir Carthage, m'interpelle Mercure et tu fais sortir de terre une belle citadelle, en bon mari ? Malheur à toi, prince, qui oublies ton royaume et
1685 ta destinée ! C'est Jupiter lui-même qui m'envoie, par les vents rapides, pour t'apporter son message : « À quoi penses-tu ? Et qu'espères-tu à passer, amoureusement, tes jours en Libye ? Si une grande destinée ne t'intéresse pas et ne te touche pas, regarde ton fils Ascagne qui grandit. Comment peux-tu ruiner
1690 les espérances de ton héritier à qui le royaume d'Italie et la terre romaine sont dus ? »

Surpris et terrifié par cet avertissement de Jupiter, je reste sans voix, désespéré. Il faut que je parte, que je quitte Carthage au plus vite, mais comment convaincre Didon de me laisser
1695 reprendre la mer ? Comment lui faire comprendre ce que veulent les dieux ? Elle m'aime d'un amour si passionné... je dois d'abord prévenir Mnesthée, Sergeste et Séreste, qu'ils équipent nos vaisseaux sans rien dire, et rassemblent nos compagnons sur le rivage, sans donner d'explications à ces préparatifs. Cela
1700 me donnera le temps de trouver les mots pour annoncer mon départ à Didon. Mais qui peut tromper le cœur d'une femme amoureuse ? La reine a surpris les premiers mouvements de nos navires qui se préparent. Et la Renommée, toujours elle, a fait le tour de la ville rapportant les mêmes faits : on s'arme,
1705 on s'apprête à partir en secret. Didon profondément blessée par ce qu'elle pense être une rupture amoureuse, court à ma rencontre :

---

1. **Jaspe** : variété de quartz de couleur, vert,
   rouge, brun ou noir.

– Énée ! tu pensais pouvoir me quitter sans rien dire ? Ni notre amour ni les serments que nous avons échangés ne te retiennent, et de savoir que je mourrais d'une mort cruelle, si je te perds, non plus ? Tu armes ta flotte sous les astres de l'hiver, impatient que tu es, de rejoindre la haute mer ! Est-ce moi que tu fuis ? Mais si tu m'aimes encore, si tu as trouvé auprès de moi un peu de réconfort, je t'en prie, reste ! À cause de toi, les nations libyennes et les princes nomades me haïssent, à cause de toi j'ai perdu ma pudeur et avec elle, mon honneur. À qui m'abandonnes-tu ? Que puis-je espérer maintenant ? Que Pygmalion, mon frère, vienne détruire cette ville ou que le roi Iabas m'emmène captive ? Si du moins avant ta fuite, j'avais pu attendre un enfant de toi ! Un petit Énée qui ressemblerait à son père, je me sentirais moins seule.

Je n'ose pas la regarder, si elle savait combien je souffre moi aussi.

– Didon, tout ce que tu me reproches est vrai, je sais ce que tu as fait pour moi et je m'en souviendrai jusqu'à ma mort. Je n'ai rien à dire pour ma défense. Mais, crois-moi, je n'ai jamais voulu m'enfuir sans te prévenir de mon départ. Si les destins me permettaient de conduire ma vie sous mes propres auspices et d'ordonner comme je le veux mes travaux, ce serait d'abord pour Troie, pour honorer les miens et nos pénates. Les dieux et leurs oracles en ont décidé autrement. Je dois me rendre en Italie, c'est là que mon destin et ma patrie m'attendent. Tu as fondé Carthage toi aussi, en terre étrangère, pourquoi les Troyens ne pourraient-ils pas s'établir là-bas ? Souvent, je pense à mon père Anchise et la nuit, je vois son visage. Il me fait peur dans mes songes parce que je ne respecte pas les oracles. Je pense aussi à mon fils Ascagne. Et aujourd'hui, Mercure le messager des dieux vient en personne de me rappeler à mon devoir. Je t'en prie, cesse de nous faire souffrir tous les deux. Tu le sais, ce n'est pas moi qui veux rejoindre l'Italie. C'est mon destin.

1740   Didon, les yeux hagards[1], ne semble pas m'entendre. Elle marmonne pour elle-même :

– A-t-il été bouleversé de me voir en larmes ? M'a-t-il seulement regardée un instant ? A-t-il pleuré, ou m'a-t-il prise en pitié ? Junon nous rejette et nous n'avons parmi les dieux aucun appui. Et dire
1745   qu'en touchant le rivage, harassé[2], démuni, je l'ai, folle que je suis, recueilli lui et ses compagnons qu'il croyait morts. Je lui ai même proposé une part de ma royauté. Mais Jupiter en personne intervient pour nous séparer et lui donne des ordres qui le font frémir.

Brusquement Didon se tourne vers moi et me crie :

1750   – Va-t'en Énée, pars, je ne te retiens pas !

Poursuis vers l'Italie ta quête de royaumes, à travers les mers ! Je n'espère qu'une chose, c'est qu'au milieu des écueils, en danger de mort, tu te souviennes de moi en m'appelant à l'aide. Mais je ne pourrai plus rien pour toi... Et dis-toi bien que, même morte,
1755   mon ombre te tourmentera sans cesse, où que tu sois ! Tu seras puni, barbare sans cœur. Je le saurai, le bruit m'en parviendra au fond des Enfers.

– Didon !

Mais elle ne m'écoute plus, et part sans se retourner. Pourquoi
1760   faut-il après tant de bonheur endurer tant de souffrances ? Comme j'aimerais pouvoir la consoler, lui parler pour adoucir sa peine. Mais c'est trop tard, les Troyens redoublent d'efforts sur le rivage. Ils tirent nos navires, enduisent les coques de poix[3], construisent

---

1. **Hagard** : effaré, surpris.
2. **Harassé** : épuisé.
3. **Poix** : matière visqueuse à base de résine ou de goudron qui, ici, imperméabilise la coque des bateaux.

des rames. Les matelots ajustent les voiles. Ils ont déjà posé à la poupe des navires des couronnes pour que la traversée leur soit favorable.

Que ressens-tu, Didon, en les apercevant ? Tu pleures seule, sans doute ?

– Énée ! Énée !

Anna, la sœur de Didon, vient me supplier.

– Si tu t'en vas, Didon se donnera la mort ; attends encore, ne pars pas tout de suite, laisse-lui quelques jours. Le temps qu'elle accepte sa souffrance et apprenne à la surmonter. Je t'en prie, aie pitié d'elle. Elle est perdue et prête à tout...

Mais que lui dire ? Les dieux m'ont rendu sourd aux plaintes de celle que j'aime, malgré mon désespoir. Et j'ai beau pleurer, je sais que je dois partir, et vite.

Que les dieux protègent Didon de la mort !

J'ignore encore que la reine a vu, au milieu des encens posés sur l'autel des dieux, de sinistres présages : l'eau sainte se noircir et le vin répandu en libation se changer en sang. Elle n'a pas osé le raconter à sa sœur mais elle le sait, désormais la mort rôde autour d'elle. Sa folie l'égare et la douleur aussi. Mais comment aurais-je pu imaginer sa fin tragique ? Anna sait qu'une magicienne a révélé à Didon comment la délivrer de son amour pour moi. Mais avant d'utiliser sa magie, Didon fait d'abord élever un bûcher dans la cour du palais, elle veut y brûler, mes armes, mes vêtements, tout souvenir de moi. Puis, elle tend des guirlandes de feuillages funèbres à travers toute la cour ; puis elle répand les charmes magiques sur le feu.

Il fait nuit. Déjà hommes et bêtes dorment profondément. Sauf Didon ; elle rumine sa souffrance en pleurant. Elle se demande : « Que fais-je encore ici ? Me faudra-t-il suppliante demander à

quelques princes nomades, dédaignés[1] autrefois, d'être mon
1795 mari ? À moins que je ne suive Énée sur son navire ? Mais les
Troyens ne m'accepteront pas même si je les ai sauvés. Je suis
pour eux une étrangère. Et puis, comment abandonner mon
peuple ? Non, il n'y a pas d'autre solution que la mort. Tout est
de ma faute, je n'ai pas su rester fidèle à Sychée. »

1800 Pendant que Didon, désespérée, cherche comment mourir, je
me suis endormi près de mes hommes, fatigué par les préparatifs d'un départ aussi précipité. Mais brusquement Mercure
m'apparaît en songe :

– Comment peux-tu dormir à cet instant ! me reproche-t-il
1805 furieux, tu ne vois donc pas les dangers autour de toi ? Tu n'entends pas non plus souffler les vents favorables ? Didon est prête
à mourir mais, avant, elle va exciter les flots pour les rendre
furieux. Elle veut te voir périr avec tous tes navires. Pars, quand
il est encore temps. Avant l'aube, si tu ne veux pas être pris par
1810 la tempête !

– Réveillez-vous ! Holà vous tous ! Vite, installez les bancs des
rameurs !

Je presse et harcèle mes compagnons pour que nous embar-
quions au plus vite.

1815 – Un dieu vient de me prévenir dans mon sommeil. Nous
devons partir, tranchons le nœud de nos amarres !

Tous m'obéissent avec joie et prient Mercure. Que, dans sa
bienveillance, il fasse luire au ciel des astres favorables.

Bientôt nous quittons de nuit le rivage, et la mer disparaît sous
1820 les voiles. Adieu Didon, ma douce reine, si tu peux, pardonne-
moi... Je pars de Carthage, le cœur lourd.

---

1. **Dédaigné** : méprisé.

*Didon séparée de Énée,
après avoir essayé
de le retenir,*
Thomas Bulfinch,
The Age of Fable, 1897.

À l'aube Didon voit mes navires déjà au loin, et sa douleur si forte la rend folle. Elle appelle la malédiction sur moi et la haine des Tyriens sur les Troyens. Et tandis que sa nourrice va chercher sa sœur Anna pour un rituel d'expiation[1], Didon se précipite dans la cour du palais. Pâle comme la mort, elle monte sur le haut du bûcher, prend mon épée, celle que je lui avais offerte, et se transperce le corps avant que ses servantes aient pu intervenir. Anna arrive juste à temps pour recueillir son dernier souffle. Didon à l'agonie, les yeux hagards, expire[2] dans ses bras... Dès que l'on apprend sa mort, une clameur aussitôt se répand dans les hautes salles du palais. Ce ne sont que lamentations et cris dans la ville. Carthage tout entière résonne de ces plaintes funèbres. Au loin sur la mer, je les entends, et soudain j'ai peur.

1. **Expiation** : rachat d'une faute grave ou d'un
   crime par un châtiment physique ou moral.
2. **Expirer** : mourir.

7

1835 Les navires gagnent rapidement le large et bientôt, on ne voit plus la terre. Mais, brusquement, le vent se lève et les vagues se hérissent... Palinure au gouvernail m'appelle :

– À ton avis pourquoi autant de nuages tout à coup ? Que nous prépare encore Neptune ? Affalez[1] la grand-voile et sortez les 1840 rames. Énée écoute-moi, même si Jupiter s'en portait garant[2], là, devant moi, je n'atteindrais pas l'Italie avec un tel ciel. Les vents ont tourné, ce sont des vents de travers et le brouillard monte. Nous n'arriverons pas à lutter contre eux, ni à garder notre route. Changeons de cap ! Si je me fie aux astres, on doit se rapprocher 1845 d'une rive amie.

– Tu as raison, fais virer les navires, et accostons près des ports d'Aceste•. Il nous accueillera une nouvelle fois et je rendrai hommage à mon père, sur sa sépulture.

Nos navires virent lentement. Cette fois encore nous n'attein-1850 drons pas l'Italie...

---

1. **Affaler** : faire descendre.
2. **Garant** : personne qui garantit, assure quelque chose.

● Aceste, roi de Sicile, a secouru Priam pendant la guerre de Troie et fait ensevelir Anchise.

Dès qu'Aceste aperçoit nos navires au loin, il accourt et nous félicite d'être revenus. Que pouvions-nous faire d'autre ?

Le lendemain matin, à l'aube, je rassemble mes compagnons :

– Illustres Troyens issus du noble sang des dieux, les mois ont
5 passé, le cercle de l'année s'achève depuis que nous avons enterré Anchise mon père. C'est aujourd'hui même, si je ne me trompe, la date anniversaire de sa mort, jour douloureux pour moi, mais ainsi l'ont voulu les dieux. Puisque les vents nous ont conduits ici, célébrons ensemble les pénates de nos pères et ceux qu'honore
50 Aceste, notre hôte. Il offre à chacun de nos navires un couple de bœufs. Mais ce n'est pas tout, je vous convie tous à des jeux, sur vos navires, à la course, au javelot, à l'arc, à la lutte. Que ceux qui veulent participer se présentent et gagnent la palme d'une victoire méritée. Et maintenant, silence ! Que chacun ceigne son front de
55 rameaux[1] pour aller jusqu'au tombeau de mon père.

Comme le veut le rituel sacré, je répands sur le sol deux coupes de vin pur, deux de lait frais, deux de sang consacré, et jetant des fleurs pourpres sur le tombeau, je m'incline.

– Je te salue, père vénérable, toi qui n'as pu chercher avec moi,
70 cette terre d'Italie...

J'achève à peine le rituel sacré qu'un serpent surgit du sanctuaire et enlace de ses sept anneaux la tombe de mon père. Puis il se faufile entre les autels, goûte aux offrandes et repart dans son nid. Je le vois comme un bon présage mais, prudent, je redouble
75 les sacrifices offerts aux dieux. Les jeux funèbres en l'honneur de mon père peuvent commencer !

Pendant neuf jours, les Troyens rivalisent d'audace, de courage et d'adresse ; mais déjà Fortune reprend son visage malfaisant.

---

1. **Rameau** : petite branche d'arbre.

Junon, toujours à son ressentiment[1], envoie Iris* sa messagère.
Du ciel, la déesse aperçoit d'immenses jeux, voit les ports déserts,
les navires troyens abandonnés sur le rivage et un peu plus loin,
sur une plage retirée, les Troyennes à l'écart. Elles pleurent la
mort d'Anchise. Mais à travers leurs larmes, elles lorgnent[2] vers
les flots en soupirant : hélas, quelles vagues perfides, quelles
étendues d'eau nous attendent encore ! Quand bâtirons-nous
notre ville ? Elles n'en peuvent plus de supporter les épreuves
de la mer.

Iris se glisse au milieu des Troyennes sous l'aspect de Béroé,
une vieille femme, l'épouse de Doryclus, qui eut, autrefois, un
rang, un nom, des fils. Et la déesse, pour mieux tromper les
Troyennes, se plaint en gémissant :

– Malheureuses que nous sommes de ne pas avoir été tuées
par les Grecs, sous les murs de Troie ! Ô race infortunée, quelle
fin lamentable les destinées te réservent-elles ? Cela fait sept ans
que nous errons depuis la chute de Troie ! Nous avons parcouru
les mers, les terres, tant de rivages inhospitaliers, tant de ciels
déchaînés, cherchant toujours plus loin, l'Italie. Mais ici nous
sommes dans le pays d'un frère ! Aceste nous accueille. Qui nous
empêche de bâtir notre ville ? N'y aura-t-il plus de cité portant le
nom de Troie ? Allons ! Brûlez-moi ces maudits navires ! J'ai vu
dans mon sommeil l'ombre de Cassandre, la prophétesse. Elle
me tendait des torches allumées en me disant : cherchez Troie
ici et non ailleurs. C'est le moment d'agir. Neptune nous donne
lui-même des torches sacrées.

---

1. **Ressentiment** : rancune, colère.
2. **Lorgner** : regarder avec envie.

Et sans que nous nous doutions de rien moi et mes compagnons, les uns encore dans les gradins du théâtre ou près du tombeau d'Anchise, Iris-Béroé s'empare du feu dévastateur. Elle agite sa torche bien haut et la jette sur un navire. Les Troyennes attirées par le feu qui lèche déjà la coque veulent l'imiter. Pyrgo, la vieille nourrice royale des fils de Priam, a beau les avertir :

– Femmes ! Ce n'est pas Béroé ! Vous ne voyez pas ses yeux étincelants, son visage, sa voix, sa démarche ! C'est une déesse ! Moi qui vous parle, je viens de quitter la vraie Béroé ; elle est malade et regrette de ne pas pouvoir assister aux fêtes en l'honneur d'Anchise.

Mais personne n'écoute Pyrgo. Les femmes, les yeux mauvais, regardent les navires, partagées encore, entre une terre, ici, et l'inatteignable Hespérie. Iris qui se sait découverte déploie soudain ses ailes, s'envole dans les airs, et découpe un immense arc-en-ciel. Fascinées par un tel prodige, les Troyennes s'emparent dans leur délire du feu des foyers sacrés●. Elles jettent des branchages sur les navires, du bois sec et des torches. Vulcain déchaîné attise l'incendie qui se propage de navire en navire ! Junon tient-elle enfin sa vengeance ?

Eumélus, le premier, court m'avertir :

– Les navires brûlent, un nuage de cendres noires monte du rivage ! me crie-t-il épouvanté.

Ascagne, qui dirigeait les jeux équestres, l'entend. Il est encore à cheval et galope bride abattue vers l'incendie.

– Que faites-vous, malheureuses. Vous êtes folles, c'est votre propre avenir que vous brûlez ! leur hurle-t-il. Vous ne me reconnaissez pas ? Je suis votre Ascagne !

● Le foyer, source du feu dans une maison,
est sacré pour les Grecs comme pour
les Romains.

Mais inconscientes, les yeux hagards, elles continuent à nourrir le feu.

Mes compagnons et moi, suivis par la foule des Troyens, nous
1935 nous précipitons vers le brasier. En nous voyant, les femmes apeurées s'enfuient, comprenant brusquement ce qu'elles ont fait, manipulées par Junon. Mais trop tard, partout les flammes couvent et une fumée suffocante monte des bois noyés d'eau.

Alors, déchirant mes vêtements en signe de deuil, j'implore
1940 les dieux et tends mes mains vers eux :

– Jupiter, dieu tout-puissant, si tu n'as pas encore, dans ta haine, rejeté jusqu'au dernier tous les Troyens, si dans ta pitié tu t'intéresses encore aux hommes, fais que nos vaisseaux échappent à l'incendie, ô Père. Ou si tu veux m'achever parce
1945 que je le mérite, prends ta foudre et tue-moi, de ta main, ici.

J'ai à peine terminé ma prière qu'un déluge de pluie s'abat sur les navires, un gigantesque orage roule dans le ciel, les bois s'imbibent d'eau, les flammes s'éteignent peu à peu, la chaleur baisse. Quatre navires ont été ravagés par l'incendie, les autres
1950 pourront repartir ; mais ce nouveau coup du sort m'ébranle. Je ne sais plus ce que je dois faire, rester ici en Sicile ou atteindre les rivages de l'Italie ? Le vieux Nautès voyant mon désarroi[1] s'approche de moi pour me réconforter :

– Énée, tu as à tes côtés un Troyen d'origine divine : Aceste.
1955 Associe-le à tes projets, ajoute sa bonne volonté à la tienne, confie-lui les Troyens en surnombre puisque quatre de tes navires ont brûlé. Ceux qui n'ont pas envie de continuer, les vieillards, les femmes et les enfants fatigués par la mer, tous ceux qui ont peur ou craignent le danger, laisse-les fonder une cité ici, sur ces terres.

---

1. **Désarroi** : sentiment de détresse.

Les paroles du vieillard me font réfléchir tard dans la nuit. Elle est déjà bien avancée quand mon père Anchise m'apparaît :

– Mon fils, mon cher fils que j'ai aimé plus que tout, toi qui portes douloureusement les destins de Troie, je viens te trouver selon la volonté de Jupiter qui a éteint le feu de vos navires et a eu pitié de vous. Suis les excellents conseils de Nautès. Ce sont les hommes d'élite, les cœurs solides, qu'il faut conduire en Italie ; au Latium, tu devras soumettre par la guerre une race dure et des mœurs rudes. Mais avant, descends là où s'en vont tous les morts dans les demeures souterraines de Pluton, à travers les profonds Avernes. Viens, mon fils, m'y retrouver. Le Tartare des impies et ses ombres sinistres ne me retiennent pas, je demeure avec les âmes pieuses, dans l'Élysée●. La Sibylle t'y conduira, après avoir fait couler le sang des brebis noires. Alors, tu connaîtras toute ta race et quelle citadelle te sera donnée. Et maintenant adieu !

– Père ! Où vas-tu ? Pourquoi ce brusque départ ? Qui veux-tu fuir ?

Je fais venir Aceste et mes compagnons sur-le-champ, et leur révèle l'ordre de Jupiter et les recommandations de mon père.

– Aceste, acceptes-tu d'être le roi des Troyens qui veulent rester ici ?

– Énée, pourquoi refuser ?

– Alors, je tracerai avec une charrue l'enceinte de leur nouvelle ville, ce sera leur Troie.

Quelques jours plus tard, il faut partir. Je réconforte les uns et les autres ; comme il est difficile à présent de se séparer.

● Anchise évoque ici les Enfers. Le Tartare est le lieu où se trouvent ceux qui sont punis pour avoir offensé les dieux ; l'Élysée accueille les âmes bienheureuses.

Je recommande une dernière fois à Aceste, en pleurant, ceux qui ne seront pas avec nous. Le vent se lève, mes hommes empoignent leurs rames. Adieu, mes compagnons d'infortune, que les dieux vous protègent.

1990   Vénus ma mère sait que nous avons repris la mer. Elle va trouver Neptune :

    – Junon et sa rancœur insatiable[1], lui dit-elle, m'oblige à te demander ton aide car ni le temps qui passe ni aucun acte de piété ne la font changer d'avis. Tu as été toi-même témoin du

1995 chaos qu'elle a soudain provoqué dans les mers de Libye ! Puisse mon fils conduire ses navires en toute sécurité, grâce à toi !

    – Allons, Vénus, tu peux te fier à moi ! répond-il. J'ai souvent contenu les fureurs et la rage du ciel et de la mer. Chasse tes craintes ! Énée entrera sain et sauf dans ces ports de l'Averne,

2000 c'est ce que tu souhaites pour lui. Il n'y aura qu'un homme perdu en mer, une seule vie donnée qui sauvera un grand nombre.

    J'ignore ce que ma divine mère a obtenu pour nous. Les vents sont favorables. En tête de nos navires celui de Palinure : c'est sur lui que les autres doivent régler leur course. Au milieu de la

2005 nuit, les matelots allongés sous les rames se reposent enfin. Sauf Palinure, au gouvernail. Mais, le dieu Sommeil● glisse doucement des astres vers lui, et assis à la poupe de son navire, il tente de le séduire :

    – Allons, Palinure, la mer est calme, le vent faible, repose-toi

2010 donc un peu ! Appuie ta tête et ferme les yeux. Je conduirai le navire à ta place !

---

1. **Insatiable** : qui ne peut être satisfait, apaisé.

● Dans l'Antiquité, le Sommeil est un dieu (Hypnos). Fils de la Nuit et frère de Thanatos (la Mort), il est représenté comme un jeune homme ailé.

Palinure sans cesser de regarder la mer l'interpelle :

– C'est à moi que tu conseilles de ne pas surveiller les flots ? Et je confierais Énée aux vents et aux nuages, moi qui fus si souvent
15 trompé par le calme de l'eau ?

Attaché à son gouvernail et faisant corps avec lui, Palinure se repère aux astres. Mais le dieu Sommeil secoue près de ses tempes un rameau trempé dans une rosée soporifique. Palinure résiste un instant, puis il ferme ses yeux lourds et s'endort.
20 Aussitôt, le dieu le précipite par-dessus bord, tête la première avec son gouvernail. Palinure crie, appelle en vain ses compagnons, ils ne l'entendent pas ●. Et, le dieu satisfait s'envole aussi léger qu'un oiseau. Inconscients du drame qui vient de se jouer, les navires poursuivent leur route et voguent sans encombre...
25 comme Neptune l'avait promis.

Quand nous approchons dangereusement des rochers où chantent les sirènes* pour attirer les marins sur leurs écueils, je me rends compte que Palinure n'est certainement pas à son poste au gouvernail. Que s'est-il passé ! Depuis combien de temps est-il
30 tombé à la mer ? Comment a-t-il pu s'endormir lui qui était si vigilant ? Effondré par la mort de mon ami, je pleure dans la nuit avant de reprendre le commandement de son navire. Palinure, mon bon compagnon, toi que la mer a englouti, tu as été trop confiant en regardant le ciel si calme... Où te retrouvera-t-on ?
35 Échoué, nu, sur le sable de quel rivage inconnu ?

● Mort noyé, Palinure donne son nom
: à un cap du sud-ouest de l'Italie.

8

Au royaume des morts

Lorsque nous débarquons enfin à Cumes*, la cité d'Apollon, les jeunes Troyens se précipitent sur la terre ferme, les uns cherchant à faire du feu avec des brindilles sèches et des silex, les autres de quoi chasser dans les forêts ou une source d'eau
2040 vive. Je monte vers le temple d'Apollon et l'antre[1] démesuré de l'effrayante Sibylle, à qui le dieu a accordé le don de voyance. Mes compagnons me suivent silencieux. Achate marche devant. Bientôt nous arrivons au pied du temple d'Apollon, bâti par Dédale*. Sur d'immenses portes d'or est gravée son histoire.
2045 Nous sommes stupéfaits par tant de richesses. Mais la Sibylle nous interpelle déjà :

– Ce n'est pas le moment de contempler tout cela ! Il vaudrait mieux sacrifier sept taureaux et sept brebis choisis selon le rite.

Je m'empresse d'accomplir ses ordres sacrés car la prêtresse
2050 nous appelle dans la haute demeure du dieu. Nous découvrons, creusé profondément dans le flanc de la roche, un antre énorme avec cent larges galeries et autant de portes d'où parlent cent

---

1. **Antre** : grotte.

voix, elles révèlent les réponses de la Sibylle. En arrivant sur le seuil de cette salle souterraine, la prêtresse nous conseille de consulter les oracles :

– C'est le moment, dit-elle, voici le dieu ! Voici le dieu !

Mais à peine a-t-elle proféré ces mots que soudain son visage change. Livide, elle dénoue ses cheveux, halète et respire bruyamment. La Sibylle nous semble tout à coup plus grande, sa voix n'est plus celle d'une mortelle. Elle se rapproche du dieu.

– Énée ! crie-t-elle, tu tardes à présenter tes vœux et tes prières ! Tu tardes ! Les grandes bouches de la demeure épouvantée ne s'entrouvriront pas avant !

Et elle se tait. Un frisson glacé nous parcourt tout le corps. Comme elle me le demande j'implore Apollon :

– Maintenant que nous accostons enfin sur les bords de l'Italie, Apollon, que les malheurs de Troie ne nous poursuivent pas ! Vous aussi dieux et déesses, vous pouvez maintenant épargner notre peuple et toi, sainte prophétesse qui connais l'avenir, prédis-moi l'installation des Troyens au Latium ? En remerciement, j'élèverai un temple de marbre à Apollon, dieu du Soleil, et à Trivia●, ta mère, la déesse de la Lune. J'instituerai des jours de fêtes en l'honneur du dieu. À toi aussi prêtresse, je dédierai dans mon royaume un grand sanctuaire, j'y déposerai tes oracles et les destins secrets annoncés à mon peuple. Je te consacrerai des prêtres choisis rien que pour toi. Je te demande seulement de ne pas confier tes révélations à des feuilles. Elles risqueraient de s'envoler en désordre au moindre coup de vent. Alors, je t'en prie, profère-les toi-même devant moi.

● Trivia est le nom de Diane, déesse
de la chasse et sœur d'Apollon,
invoquée comme déesse de la Lune.

2080   La Sibylle, qui n'est pas encore sous la possession d'Apollon, se débat dans son antre, essayant de faire sortir de sa gorge le dieu puissant. Mais quand elle est en transe[1], la bouche écumante, Apollon la dompte elle et son cœur farouche. Et soudain, dans la salle souterraine, les cent portes gigantesques s'ouvrent toutes

2085 seules, laissant libre passage aux réponses de la Sibylle :

    — Énée, toi qui es enfin délivré des grands dangers de la mer, la terre t'en réserve d'autres et de plus graves encore. Les Troyens parviendront au royaume du Latium mais certains jours, ils le regretteront. Des guerres, je vois d'affreuses guerres ! Et Junon

2090 s'acharnant toujours sur vous Troyens à cause d'une épouse étrangère, cette fois encore. Mais toi, Énée, ne cède pas au malheur, au contraire va de l'avant avec plus d'audace même que ta destinée ne t'y autoriserait. Tu n'y aurais sans doute jamais songé mais ton salut, c'est une ville grecque qui te l'offrira.

2095   Pas un de ses mots ne m'échappe, cherchant à déchiffrer la vérité dans ses énigmes. Quand enfin la Sibylle retrouve son calme, j'ose lui demander :

    — Tout ce que tu m'annonces, prêtresse, ne me semble ni étrange ni imprévu. Je demande juste une seule grâce : on dit que la porte

2100 du roi des Enfers est ici, et le marais noir et saumâtre[2] où se jette l'Achéron aussi. Je voudrais retrouver mon père bien-aimé, voir son visage ! Montre-moi le chemin, ouvre-moi les portes sacrées ! Je l'ai sauvé de l'incendie de Troie, je l'ai arraché au milieu de nos ennemis le menaçant de leurs javelots, je l'ai porté sur mes

2105 épaules... Il a partagé avec moi les dangers de la mer et bravé avec moi des tempêtes malgré sa faiblesse, allant bien au-delà de ses

---

1. **Transe** : sorte de délire manifestant la communication avec une divinité.
2. **Saumâtre** : salé comme l'eau de mer.

forces, à son âge. C'est lui qui m'a demandé de venir te trouver et de te supplier. Aie pitié de nous deux, du père comme du fils, car tu as tout pouvoir. Ta mère Trivia, déesse de la Lune, ne t'a pas en vain rendue maîtresse du bois de l'Averne !

– Héros né du sang des dieux, fils d'Anchise, il est facile de descendre dans l'Averne, la porte du monde souterrain de Pluton est ouverte nuit et jour. Mais revenir sur ses pas, se retrouver vivant, à l'air libre, c'est très difficile. Rares sont ceux qui ont réussi, à part ces hommes que Jupiter aimait et qu'il fit monter au plus haut des cieux, dans la demeure des dieux et des bienheureux. Mais avant ce lieu, ce ne sont que forêts d'ombres. Un des quatre fleuves des Enfers, le Cocyte, glisse ses noirs méandres tout autour. Mais si tu veux avec un courage inébranlable traverser deux fois les eaux mortes du Styx, voir deux fois le sombre Tartare et t'épuiser dans cette quête insensée, alors écoute-moi ! Je vais te dire ce que tu devras accomplir. Tu devras trouver sur un arbre aux branches impénétrables, un rameau d'or dédié à Junon. Le bois tout entier le protège et les ombres au creux des vallées obscures le cachent. Ce rameau, cueille-le de ta main, ce sera facile pour toi, si les destins te sont favorables ; sinon tu n'y arriveras pas, même avec l'épée la plus tranchante. Mais avant, repars au campement car, tu l'ignores encore, le corps d'un de tes amis gît sans vie sur le rivage. Il souille de mort tes navires, tandis que tu es là à me consulter et que tu restes sur le seuil de mon antre. Donne-lui une sépulture, offre des brebis noires en purification●. C'est seulement ainsi que tu verras le bois du Styx et le royaume qui n'a pas de chemin pour les vivants.

● Dans l'Antiquité, lorsqu'un mort n'est pas enterré, cela constitue une souillure, une offense aux dieux.

Après avoir proféré de telles paroles, la Sibylle se tait.

2135 Aussitôt je quitte l'antre, triste et bouleversé. Achate marche à côté de moi, il partage mes inquiétudes : qui de nos compagnons est mort ? Misène ! lui qui n'avait pas son pareil pour entraîner les hommes au combat. Lui qui avait été le compagnon d'Hector, redonnant courage à nos armées en sonnant de sa corne de

2140 bronze. Mais que s'est-il passé ? Qui le saura ? Certains affirment que le dieu Triton, jaloux de l'entendre souffler comme lui dans une conque creuse au-dessus des eaux, l'a noyé. Mes compagnons effrayés se lamentent autour de lui●.

– Mes amis, préparons l'autel et le bûcher funèbre pour rendre

2145 un dernier hommage à Misène ! Allons sans tarder dans la forêt, couper ce qu'il faut de chênes, d'ormes et de frênes.

Le cœur lourd, je dirige l'abattage des arbres, encourageant mes compagnons. Je regarde l'immense forêt tout autour. Si seulement je pouvais apercevoir maintenant ce fameux rameau

2150 d'or dont parle la prêtresse. Puisqu'elle m'a dit la vérité sur la mort de ce pauvre Misène, c'est qu'il existe certainement. Mais pourquoi ces deux colombes se posent-elles près de moi ? Oh ! Vous les oiseaux de Vénus, soyez mes guides, montrez-moi le chemin jusqu'au rameau d'or ! Et toi mère divine, ne m'aban-

2155 donne pas !

Les colombes voletant ici, picorant là, me conduisent peu à peu vers les gorges redoutables de l'Averne. Tout à coup, l'une se pose sur l'arbre au rameau d'or. Je le cueille aussitôt sans qu'il n'oppose aucune résistance.

● Comme Palinure, Misène donne son nom
à un cap, situé sur le golfe de Naples,
en Italie.

Là-bas, on allume le bûcher pour la crémation[1] de Misène. Il est temps pour moi de rejoindre la Sibylle en emportant le rameau d'or.

La nuit me semble immense. Selon le rituel, devant une caverne profonde comme une bouche grande ouverte, toute hérissée de rocs, protégée par un lac noir et les ténèbres des bois, la prêtresse fait sacrifier par mes compagnons quatre taureaux noirs. J'immole, moi, une brebis noire. La fumée de leur chair brûlant sur les autels montera vers les dieux.

Le soleil est à peine levé que le sol commence à trembler et l'on entend des chiens hurler.

– Loin d'ici ! s'écrie alors la Sibylle, loin d'ici, profanes ! Retirez-vous de ce bois ! Et toi Énée, entre ! Voici que s'ouvre le chemin ! Sors ton épée de ton fourreau, c'est maintenant qu'il faut du courage et un cœur ferme !

Et la Sibylle s'élance dans l'antre béant[2]. Je la suis, pas à pas. Nous avançons dans l'ombre, à travers les palais obscurs de Pluton et son royaume d'apparences. Dans la cour du palais, les Deuils, les Soucis, les Maladies côtoient la Vieillesse, la Peur et la Faim, le Trépas et la Peine. La Guerre qui tue l'homme et la Discorde avec sa chevelure de vipères nouée de bandeaux ensanglantés. Au milieu de la cour, un orme gigantesque déploie ses branches immenses. Il est sans doute habité par toutes sortes d'êtres terribles, car je ne vois autour de moi que monstres sifflants. Effrayé et oubliant que ce ne sont que des ombres, je tire mon épée pour me protéger. Mais comment pourfendre des ombres ? Un chemin mène au Tartare,

1. **Crémation** : action de brûler le corps d'un mort.
2. **Béant** : grand ouvert.

vers les eaux de l'Achéron, ce fleuve qui de l'Averne s'enfonce jusqu'aux Enfers. Il tourbillonne et forme un gouffre. Un passeur monte la garde près de ces eaux mouvantes. C'est Charon, sale, affreux, les cheveux hérissés. Ses yeux ! Fixes, et brûlants comme
2190 deux flammes. Il est vêtu d'un manteau sordide[1], noué sur ses épaules et qui pend lamentablement.

Charon pousse lui-même sa barque noire avec une longue perche, en tend les voiles et transporte ainsi les corps des morts. Malgré sa vieillesse, il a l'énergie d'un dieu. Femmes, hommes,
2195 enfants, héros dont le corps est désormais sans vie, se bousculent sur la rive suppliant Charon. Car ils veulent traverser, aller de l'autre côté. Mais, inflexible[2], Charon embarque les uns et repousse les autres, loin des rives du Styx.

Intrigué, j'ose demander tout bas à la Sibylle :
2200 — Prêtresse, pourquoi cette bousculade au bord du fleuve ? Que demandent ces âmes, au passeur ?

— Énée ! tous ceux qui se pressent dans cette foule misérable errent sans sépulture. Il est impossible de les faire passer sur l'autre rive tant que leurs os n'auront pas trouvé de tombeau.
2205 Pendant cent ans, ils erreront ainsi autour de ces rivages, avant d'être admis à leur tour dans la barque de Charon.

— Quelle affreuse destinée ! Comment ne pas avoir pitié de ces pauvres âmes errantes !

Mais soudain, dans l'ombre épaisse, je crois reconnaître
2210 Palinure.

— Mon ami, toi ici. Mais que s'est-il passé ? Quel dieu t'a noyé ? Apollon ? M'aurait-il trompé, lui qui pourtant ne m'a jamais égaré ?

---

1. **Sordide** : sale et misérable.
2. **Inflexible** : que l'on ne peut faire céder.

– Non, Énée, si le dieu Sommeil m'a engourdi, il n'est pas
responsable de ma mort ! Quand je suis tombé par-dessus bord,
j'ai été entraîné avec mon gouvernail dans la mer. Pendant trois
nuits et trois jours, la tempête a fait rage et j'ai été ballotté par la
houle. Au matin du quatrième jour, j'ai aperçu enfin un rivage :
l'Italie ! Lentement j'ai nagé vers cette terre, me réjouissant déjà
d'être sain et sauf. Je me suis agrippé aux rochers pour sortir de
l'eau quand les hommes d'un peuple cruel se sont acharnés sur
moi et m'ont tué. J'ai lâché prise, mon corps sans vie a dérivé
à la mer. Maintenant, je vais devoir errer sur les rives du Styx
pendant cent ans. Énée, je t'en supplie, aide-moi ! Jette sur moi
ne serait-ce qu'une poignée de terre, pour m'ensevelir, afin qu'au
moins, je repose en paix dans la mort !

Mais la Sibylle aussitôt intervient :

– Sacrilège ! Quoi Palinure, sans être inhumé, tu t'approcherais
de l'autre rive alors que tu n'es pas appelé ! N'espère surtout pas
que ta prière apitoie les dieux. Mais si cela peut te consoler, les
gens de ton village t'élèveront un tombeau et ils appelleront ce
lieu : Palinure

Mon compagnon rassuré me quitte alors et rejoint la foule des
âmes. Adieu Palinure, je ne t'oublierai pas.

La Sibylle sans tarder me guide près de la rive du Styx. Charon
au milieu du fleuve nous aperçoit. Il nous interpelle aussitôt :

– Qui que tu sois qui viens en armes vers nos fleuves, dis-moi
ce qui t'amène ici ? Oui, toi, réponds moi de l'endroit où tu te
trouves et arrête-toi là ! C'est ici le séjour des ombres, du sommeil
et des ténèbres. Il m'est interdit de transporter des corps vivants
dans ma barque. Cela ne m'a pas réussi le jour où je l'ai fait pour
d'autres héros : l'un a enchaîné le gardien du Tartare et l'a traîné
derrière lui comme un chien et d'autres ont essayé de détourner

notre maîtresse Proserpine, la déesse des Saisons, de la chambre
2245 de Pluton qui, après l'avoir enlevée, l'avait épousée.

– Nous n'avons aucune intention de ce genre ! l'interrompt
la Sibylle. Épargne-nous ta colère, nos armes n'apportent pas
la violence ! Peu nous importent Proserpine et le chien monstrueux qui garde les Enfers ! Le Troyen Énée, illustre pour sa
2250 piété et sa bravoure, descend dans les profondeurs des ombres
de l'Érèbe[1], pour retrouver son père. Si autant de piété ne
t'émeut pas, regarde ce rameau, il me semble que tu devrais
le reconnaître...

Charon apercevant le rameau d'or se calme brusquement.
2255 Il approche sa barque de la rive et chasse sans ménagement
d'autres âmes pour qu'on nous fasse de la place. Inquiet, le cœur
battant, je monte dans sa barque avec la Sibylle. Elle craque sous
mon poids et prend l'eau par les interstices du bois disjoint. Que
se passerait-il si nous tombions à l'eau ? Je n'ose pas y penser. La
2260 Sibylle se tait songeuse.

Charon nous dépose enfin dans un marais spongieux[2]
encombré de roseaux. Juste en face de nous, un énorme chien
à trois têtes aboie furieusement. C'est Cerbère ! Il garde l'entrée
des Enfers afin que ceux qui ont franchi le Styx ne se sauvent
2265 pas. Son cou est hérissé de couleuvres menaçantes. Comment
passer ? La Sibylle a tout prévu, elle lui lance un gâteau soporifique[3] confectionné avec des graines et un puissant narcotique[4].
Cerbère affamé se jette dessus. Quelques instants plus tard, il
dort étendu de tout son long, au fond de sa caverne.

1. **L'Érèbe** : les Enfers.
2. **Spongieux** : qui rappelle une éponge,
   mou et humide.
3. **Soporifique** : qui provoque le sommeil.
4. **Narcotique** : substance qui endort.

70 Nous en profitons aussitôt pour entrer. Nous avançons un peu quand j'entends les pleurs des nouveau-nés morts dès leurs premiers jours. Près d'eux se trouvent ceux qui furent condamnés à mort sur une fausse accusation ou qui se sont suicidés.

Plus loin, j'aperçois le champ des pleurs réservé à ceux que 75 l'amour a tués. Ils sanglotent sur des sentiers secrets protégés par des buissons de myrtes, car leur peine ne les quitte jamais plus.

Didon ? C'est elle ? Didon ! Mon cœur se serre : quel destin l'a conduite ici ? Je ne peux m'empêcher d'être ému dès que je la reconnais. Je l'appelle doucement :

280 – Didon, ma malheureuse reine ! Ce que j'ai pressenti était donc vrai, tu es morte à cause de moi ? Mais je te le jure par les étoiles, par les dieux d'en haut et ceux d'en bas : j'ai quitté Carthage malgré moi. Les dieux, qui aujourd'hui me forcent à descendre aux Enfers, m'ont obligé à partir. Mais je n'ai jamais 285 pensé que mon départ serait pour toi une si grande douleur... Didon ! Regarde-moi, crois-moi. Je t'en prie, ne t'en va pas ! Reste ! C'est la dernière fois que le destin me permet de te parler.

Mais Didon les yeux rivés au sol, le visage si dur que j'en ai 290 les larmes aux yeux, m'évite. Brusquement, sans un mot, elle rejoint le bois où son mari Sychée qui l'aime l'aide, dans l'ombre, à supporter sa peine.

Je ne peux pas la suivre, je dois continuer mon chemin. La nuit tombe et la Sibylle me presse :

295 – Énée, ce n'est pas le moment de pleurer ! Voici l'endroit où la route se divise en deux chemins : celui de droite mène sous les murs du palais de Pluton et c'est par là que nous irons à l'Élysée ; celui de gauche est le chemin des justes châtiments, il conduit à l'impitoyable Tartare.

2300 Je tente d'apercevoir ce qui se passe à gauche... Au pied d'un rocher, il y a un grand palais gardé par un triple mur, entouré d'un fleuve charriant d'énormes rocs dans un vacarme fracassant. Une tour de fer se dresse dans les airs avec une porte gigantesque pour en fermer l'entrée. C'est là que Tisiphone,
2305 une des trois Furies*, serrée dans sa robe ensanglantée, punit les coupables sans jamais s'arrêter. On entend derrière la porte des gémissements, des coups de fouet, le grincement de chaînes que l'on traîne. Tous ces bruits me terrorisent.

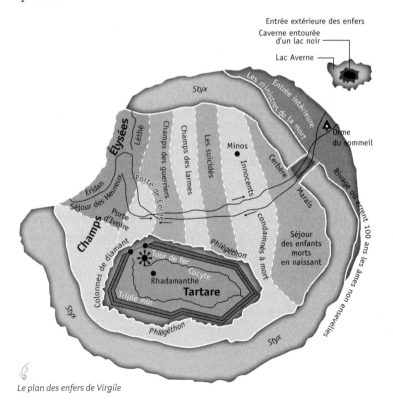

Le plan des enfers de Virgile

– Qu'ont-ils donc fait ceux qui se trouvent là ? Quel supplice
subissent-ils et pourquoi cette horrible plainte, derrière les
murs ?

– Ce sont ceux qui ont haï leurs frères toute leur vie ou maltraité
leur père, les cupides, les avares, les adultères, les traîtres à leur
patrie, les mercenaires enrôlés dans des guerres immondes. Ils
paient pour leurs crimes. Ne cherche pas à savoir quel châtiment leur est réservé. Ils ont commis des actes abominables et
Tisiphone n'a aucune pitié pour eux, me répond la prêtresse.
Reprends ta route et pressons-nous, la porte où nous devons
accrocher le rameau d'or se trouve droit devant nous.

Après m'être aspergé le corps d'eau fraîche pour me purifier,
je m'avance le rameau d'or à la main et le fixe, sans trembler,
sur la porte d'entrée. Les rites accomplis en hommage à Junon,
nous accédons aux demeures des bienheureux. L'air est plus
léger, les prairies verdoyantes, les bois de lauriers parfumés ;
un ciel avec son soleil et ses astres illumine l'espace. Ici, on
chante des poèmes, ou on joue de la musique, là, on déjeune sur
l'herbe. Tous ceux qui par leur intelligence se sont occupés des
autres pour leur donner une vie meilleure et leur ont laissé un
souvenir impérissable, vivent là. Ils furent des saints, des héros,
des prophètes, et certains ont souffert pour leur patrie... Étonnés
de nous voir arriver, ils nous entourent aussitôt.

– Dites-nous, âmes bienheureuses, leur demande la Sibylle,
où se trouve Anchise ? C'est pour lui que nous sommes venus
jusqu'ici, que nous avons traversé les grands fleuves des Enfers.

– Il vous faudra encore escalader ce sommet ! Mais je vais
vous montrer un chemin facile pour y parvenir, répond Musée,
un grand héros autrefois. Aucun de nous ne demeure dans un
endroit bien précis, continue-t-il. Nous habitons dans les bois

sombres, nous hantons ces rives, ou nous nous reposons dans 2340 des prairies toujours fraîches près des ruisseaux. Mais si vous désirez sincèrement rejoindre Anchise, suivez-moi !

Dès que nous atteignons le sommet de la montagne, Musée pointe du doigt l'horizon :

– Vous apercevez là-bas ces plaines verdoyantes ? Eh bien, 2345 Anchise se repose dans cette verte vallée.

– Énée ! Énée tu es venu, enfin ! s'écrie mon père dès qu'il m'aperçoit.

Il vient à ma rencontre joyeusement en me tendant les bras ; je vois bien sur ses joues qu'il pleure.

2350 – Mon fils ! Comme je m'y attendais ta piété a triomphé des épreuves, de cette route si difficile ! Mais aujourd'hui, il m'est donné de voir ton visage, d'entendre ta voix et de parler familièrement avec toi comme autrefois. Oui, j'y pensais dans mon cœur et j'espérais qu'il en serait ainsi. Je comptais les jours... Que 2355 de terres, de mers parcourues avant que tu me rejoignes ! Que de dangers tu as bravés ! Comme j'ai eu peur que les royaumes libyens ne te maltraitent !

– Père, ton image inquiète qui m'apparaissait si souvent m'a poussé à venir jusqu'à toi. Mes navires ont jeté l'ancre dans les 2360 eaux tyrrhéniennes. Ô père, laisse-moi te prendre la main, laisse-moi t'embrasser !

Trois fois, je tente de me jeter à son cou mais, trois fois, son image s'échappe comme le vent léger. Soudain un bruit sourd monte dans la vallée :

2365 – Père, quelle est cette foule rassemblée au bord du fleuve ?

– Tu ne crains rien, mon fils, ce sont les âmes à qui les destins doivent d'autres corps. Elles boivent les philtres de l'oubli au bord des eaux du fleuve Léthé●. Mais viens, il faut que je te présente ceux qui feront l'Italie de demain.

70 – Père, ces âmes vont remonter au ciel et retourner une fois encore dans un corps ? Mais pourquoi ?

– Toutes ces âmes ont tourné la roue du temps pendant mille ans, Énée. Elles doivent avoir tout oublié de leur passé pour monter au ciel et désirer revenir dans un corps. Viens, allons, 75 jusqu'à ce tertre, tu pourras apercevoir leur visage.

La Sibylle et moi le suivons sans comprendre. Comment Anchise peut-il nous montrer, parmi ces âmes, ceux qui seront nos descendants ?

Mais Anchise reprend :

80 – Énée, voici tes neveux qui pour les siècles à venir auréoleront de gloire notre race ! Tu vois ce jeune homme là-bas, eh bien ce sera Sylvius, ton fils dernier né. Ta femme, Lavinia, l'accouchera dans une forêt. Et celui qui est à côté de lui, c'est Procas, gloire de la nation troyenne, et enfin, Romulus, le fils de Mars et de l'auguste 85 Ilia, qui fondera Rome, la ville aux sept collines. Remarque les deux aigrettes au-dessus de sa tête ! Jupiter l'honore déjà du signe de sa gloire. Grâce à lui, Énée, Rome sera célèbre ! Et maintenant, regarde un peu par là, ce sont tes Romains. Ici César, et toute la descendance d'Ascagne-Iule, ton fils. Son empire s'étendra sur tout l'univers. 90 D'autres après lui feront, eux aussi, triompher la grandeur de Rome et la paix. Mais, je ne te le cache pas, avant que le cycle du temps les conduise à Rome, il te faudra, toi le premier, affronter plusieurs guerres et supporter chaque épreuve avec courage.

Maintenant que je t'ai révélé tout ce que tu dois savoir sur 95 l'avenir, il faut que vous retourniez toi et la Sibylle vers le monde

● Ce sont les âmes de ceux qui attendent d'être réincarnés.
⋮ Elles boivent l'eau du fleuve Léthé pour oublier leur ancienne vie.

des vivants. Il y a deux portes du Sommeil, l'une est de corne, c'est une issue facile réservée aux ombres véritables ; l'autre est d'ivoire, c'est par là que sont envoyées les illusions des songes de la nuit. Vous sortirez par cette porte-là ! Vite, ne tardez plus !

2400 Que la Sibylle retrouve son antre et le temple d'Apollon et toi, tes navires et tes compagnons.

– Père !

– Allons, tu le sais Énée, je ne te quitterai jamais, je t'aiderai. Adieu mon fils, et sois digne de Troie.

2405 – Adieu père, je ne t'oublierai pas ! Je serai digne de toi !

Bien des nuits sous la lune pâle, j'ai pensé au royaume des morts, bien des nuits aussi, j'ai cru entendre les gémissements des âmes perdues dans le Tartare sombre. Mais à l'aube, le vent léger m'apportait les chants joyeux de la verte vallée où mon

2410 père se reposait. Que la Sibylle qui m'a accompagné dans cet étrange périple vive encore très longtemps, pour que d'autres héros descendent aux Enfers et en reviennent vivants...

En levant l'ancre de nos navires, une fois encore, je savais que ce serait notre dernier voyage. Lorsque nous avons touché les

2415 rivages de l'Italie, un fleuve paisible se jetait dans la mer. Les bois remplis d'oiseaux chatoyants semblaient si accueillants que quelque chose d'infime dans l'air, juste un souffle, me troubla et m'émut, un instant seulement. Car déjà Ascagne, Achate et mes compagnons affamés, posaient en riant ce qu'il nous restait

2420 de vivre, sur nos galettes de blé durcies depuis longtemps. Mon fils, amusé, fit remarquer à la cantonade : « Nous avons si faim que nous mangeons même nos tables ! »

À ces mots, je me mis à trembler, la malédiction de la Harpie Céléno venait de se réaliser. C'était cela la faim que nous redou-tions tous ! Et le sol que nous voulions atteindre depuis tant d'années, nous venions de le fouler sous nos pieds.

Alors, bouleversé, j'ai crié :
— Salut, Terre que me devaient les destins ! Salut, fidèles pénates de Troie : c'est ici ma maison. Ici ma patrie...
Et, caressant entre mes doigts un peu de cette terre brune d'Italie, j'ai pleuré...
J'en étais certain désormais : Troie revivrait !

Énée descend aux Enfers guidé par la sibylle. Illustration du chant VI de l'*Énéide* de Virgile, Niccolo dell'Abate (1512-1571), ver 1540, Modene, Galleria Estense.

Énée et Anchise aux enfers, Paris, BNF, Estampes.

L'*Énéide*

L'*Énéide* ou l'épopée de Rome

Qu'est-ce qu'une épopée ?

L'épopée est un genre très ancien, noble et poétique qui raconte les exploits de héros, valeureux guerriers ou fondateurs de cités.

● **DÉFINITION DU GENRE**

Le mot grec *epopoiia* – dont est issu le mot « épopée » – est formé sur *epos* (« ce qui est exprimé par la parole ») et *poïein* (« faire, fabriquer »). Ce poème narratif souvent long, met en scène des héros accomplissant des exploits hors du commun. Ceux-ci constituent les mythes fondateurs d'un peuple comme la guerre de Troie, épisode mythique de l'histoire des Grecs et des Troyens.

> **La composition**
>
> *En Grèce et à Rome, l'épopée est composée en hexamètres dactyliques : ceux d'Homère et de Virgile sont considérés comme les plus beaux.*
> *Le rythme de ces vers rappelle ses origines orales car, avant d'être écrite, l'épopée était chantée par les aèdes, et s'accompagnait de musique.*

● **LES ORIGINES DE L'ÉPOPÉE**

La plus ancienne épopée connue est l'épopée de Gilgamesh (xviiie-xviie siècle av. J.-C.). Elle relate les aventures de Gilgamesh, mythique roi d'Uruk (Mésopotamie) qui aurait régné au milieu du iiie millénaire av. J.-C. Tyrannique, il déplaît aux dieux, qui lui envoient un être capable de le combattre, Enkidu. Mais les deux jeunes hommes deviennent amis. Ensemble, ils combattent de terribles créatures. À la mort d'Enkidu, Gilgamesh, tourmenté de savoir où il peut se trouver, cherche le moyen de devenir immortel. Dans d'autres textes qui le mettent en scène, Gilgamesh est un juge ou une divinité des Enfers.

Les exploits de ce roi furent rédigés sur des tablettes d'argile vers la fin du iiie millénaire av. J.-C. La version la plus complète de l'épopée de Gilgamesh, composée de onze tablettes à Ninive en Mésopotamie (Irak actuel), date du viie siècle av. J.-C.

Dès la plus Haute Antiquité, l'épopée eut beaucoup de succès et fut traduite dans d'autres langues du Proche-Orient ancien.

● LES CARACTÉRISTIQUES DE L'ÉPOPÉE

Les protagonistes de l'épopée sont des héros fils ou descendants de divinités. Ils possèdent des qualités excep- *Du grec hérôs, « demi-dieu ».* tionnelles de beauté, de force et de courage et incarnent des valeurs : Hector, le dévouement, Ulysse, la ruse, Énée, la piété.

Ils accomplissent des exploits hors du commun et côtoient les dieux. Ces derniers leur imposent des épreuves ou leur viennent en aide. Les héros affrontent le péril de la mort au cours de combats « épiques » contre les éléments naturels (tempête...), d'autres héros ou des créatures mons- trueuses... Ainsi, l'épopée antique glorifie les peuples dont sont issus ces héros mythiques et, par le merveilleux, confère à leur histoire une dimension grandiose, quasi-divine.

Les premiers vers de l'*Énéide* en latin traduits en français

Arma virumque cano, Troiae qui primus ab oris
Italiam, fato profugus, Laviniaque venit
litora, multum ille et terris jactatus et alto
vi superum saevae Junonis ob iram ;
multa quoque et bello passus, dum conderet urbem,
inferretque deos Latio, genus unde Latinum,
Albanique patres, atque altae moenia Romae.
Musa, mihi causas memora, quo numine laeso,
quidve dolens, regina deum tot volvere casus
insignem pietate virum, tot adire labores impulerit. Tantaene animis caelestibus irae ?

Je chante les combats et l'homme qui le premier, des rivages de Troie, fugitif et prédestiné, vint en Italie, aux rives de Lavinium, celui qui fut malmené sur terre et sur mer par le pouvoir de Ceux d'en haut, à cause de la colère tenace de la cruelle Junon ; il souffrit aussi beaucoup à la guerre, avant de fonder sa ville et d'installer ses dieux dans le Latium, d'où naquirent la race latine, nos ancêtres albains et Rome aux murailles élevées. Muse, rappelle-m'en la cause, quelle offense à sa volonté, quelle blessure poussa la reine des dieux à précipiter un héros insigne pour sa piété, tant de malheurs, au-devant de tant d'épreuves ? Les âmes des dieux peuvent-elles éprouver tant de colère ?

Virgile, *Énéide*, I, vers 1 à 11.

Comment l'Énéide est-elle née ?

Virgile est un poète reconnu au moment où Auguste prend le pouvoir. Depuis longtemps, il rêve d'écrire une épopée, de composer une œuvre digne de la grandeur de Rome. Poussé par ses amis et par Auguste lui-même, il s'y consacre dès 30 ou 29 av. J.-C.

● UN PROJET ÉPIQUE

Des légendes et récits immémoriaux faisaient remonter l'origine du peuple de Rome aux Troyens, Romulus, fondateur et premier roi de Rome étant considéré comme un descendant d'Énée, prince troyen. Virgile décide ainsi d'écrire une épopée nationale qui justifie la puissance romaine par la dimension héroïque des origines de l'Urbs. Il veut également honorer Auguste sur qui il fonde de grands espoirs pour redonner à Rome, après des années de guerre, sa sérénité.

L'urbs désigne une ville dans l'Antiquité, « la ville d'entre toutes les villes » : Rome.

● COMPOSITION DE L'ŒUVRE

L'*Énéide* est une épopée composée de douze livres : les six premiers retracent la fuite et le voyage d'Énée, les six suivants relatent les guerres qu'il mène en Italie. Virgile aurait écrit son épopée en prose avant de la mettre en vers. Il compose un grand nombre de vers par jour pour n'en garder que quelques-uns ; il les corrige ou les réécrit afin d'atteindre la perfection, à la fois dans le rythme, la musicalité et les images qu'il crée.

● LA PERFECTION D'UNE ŒUVRE INACHEVÉE

Virgile consacre les dix dernières années de sa vie à cette œuvre grandiose dont il souhaitait qu'elle fût à la fois une Iliade et une Odyssée. Mais il meurt avant de l'achever et demande à ses proches de la brûler, car inachevée, elle ne pouvait être parfaite ! Heureusement, Auguste en décide autrement et confie à des amis du poète la publication de l'œuvre. L'*Énéide* reste encore aujourd'hui l'une des plus belles œuvres de la littérature antique.

Le nom iliade vient de l'expression « poème d'Ilion », Ilion étant l'autre nom de la ville de Troie. L'Iliade d'Homère est un épisode de la guerre de Troie.

Une odyssée est un voyage long et périlleux. L'Odyssée d'Homère raconte le retour d'Ulysse à Ithaque après la guerre de Troie.

Qui est Énée ?

Énée, fils du prince troyen Anchise et de la déesse Vénus, apparaît dès l'Iliade d'Homère.

● **LE DESTIN D'UN DEMI-DIEU**

Énée est le plus valeureux guerrier après Hector, « le rempart de Troie », et tue bon nombre d'ennemis. Aphrodite est blessée en lui portant secours et le dieu Apollon le dissimule pendant un combat. Énée est promis à un destin exceptionnel : « Tu auras un fils qui régnera sur les Troyens, et des fils naîtront à ses fils, et ainsi de suite, éternellement » lui

Troie se situe dans l'actuelle Turquie près du détroit des Dardanelles.

prophétise sa mère. Ainsi, tous les Troyens ne périront pas avec Troie. C'est sous la conduite d'Énée qu'ils trouveront une nouvelle patrie.

● **LES ERRANCES D'ÉNÉE**

Comme Ulysse, Énée voyage longtemps sur mer et affronte de terribles épreuves mais, contrairement à « l'homme aux mille ruses », le Troyen n'a pas un royaume à regagner : le « pieux Énée » cherche la terre de ses ancêtres, où il pourra s'installer. Il se trompe d'abord, interprète mal les oracles des dieux, avant de comprendre que c'est l'Italie qu'il doit gagner.

● **UN ANCÊTRE DE LÉGENDE**

En Italie, d'autres épreuves attendent le héros : c'est ce que racontent les six derniers chants de l'*Énéide*. Il est accueilli dans le Latium par le roi Latinus, qui veut lui donner sa fille Lavinia pour épouse. Or, la mère de celle-ci, Amata, lui préfère Turnus, roi des Rutules, un peuple voisin. Une guerre s'engage, attisée par Junon. Après avoir gagné à sa cause Évandre, roi de Pallantée (site de la future Rome) et le peuple étrusque, et livré de rudes combats, Énée vainc Turnus. Selon les versions de la légende, il succède à Latinus ou fonde sa ville Lavinium (Rome, même, selon une tradition obscure). Après d'autres combats en Italie, il disparaît pendant un orage. Son fils Ascagne fonde Albe.

Ascagne, également appelé Iule, passe pour être l'ancêtre de la famille Iulia, celle de Jules César et d'Octave Auguste.

Étape I • Entrer dans le récit

SUPPORT • Prologue et chapitre 1 (p. 13 à 23)

OBJECTIF • Comprendre la situation initiale et analyser la mise en place de l'action

As-tu bien lu ?

1 Énée est :
- ☐ troyen
- ☐ grec
- ☐ romain

2 Sa mère est :
- ☐ Junon
- ☐ Vénus
- ☐ Créuse

3 Les Troyens croient que le cheval de Troie est :
- ☐ une offrande pour Minerve.
- ☐ un gage de paix offert par les Grecs.
- ☐ une machine de guerre.

4 Le roi de Troie est :
- ☐ Anchise
- ☐ Laocoon
- ☐ Priam

Énée, un héros au cœur de la guerre

5 Qui raconte l'histoire ? Cite le pronom personnel qui justifie ta réponse.

6 **a.** Comment se nomment l'épouse et le fils d'Énée ?
b. Quel âge a son fils, à ton avis ? Cite une expression du texte qui justifie ta réponse.

7 D'après Énée, quelle est la cause de la guerre de Troie ?

8 Depuis combien de temps la guerre dure-t-elle ?

La ruse des Grecs

9 **a.** Pourquoi les Troyens pensent-ils que les Grecs sont partis ?
b. Qui confirme cette croyance ?

10 **a.** Qu'annonce le prêtre Laocoon ?
b. Qu'arrive-t-il à Laocoon et à ses fils ?

11 Pourquoi les Troyens font-ils entrer le cheval dans leur citadelle ?

La langue et le style

12 **a.** Dans le dernier paragraphe du premier chapitre, relève
les expressions qui expriment les doutes d'Énée.
b. Quel type de phrase emploie-t-il qui montre son incertitude ?

13 Dans le passage qui relate la mort de Laocoon et de ses fils, relève les
verbes d'action qui manifestent la violence de l'attaque des serpents.

Faire le bilan

14 Complète le texte suivant, avec les mots de la liste, afin de t'assurer que
tu as bien compris le début du récit :

Achille – Laocoon – Troie – Vénus – Hector – Cheval de Troie – Sinon

Énée est un guerrier qui défend la ville de .... Fils d'Anchise et
de la déesse ...., il ne sait pas comment la guerre va s'achever.
.... le plus farouche des guerriers achéens a tué .... le plus
valeureux des guerriers troyens. Enée est rempli de crainte et de doutes
lorsqu'un prisonnier grec .... incite les Troyens à faire entrer dans
leur cité le .... et quand le prêtre .... est étouffé
par de monstrueux serpents.

À toi de jouer

15 Imagine et rédige la prière que le prêtre Laocoon adresse au dieu
Neptune afin qu'il sauve Troie.

Étape 2 • Étudier les péripéties du voyage d'Énée

SUPPORT • Chapitres 3 et 4

OBJECTIF • Analyser l'*Énéide* comme un récit d'aventures épique.

As-tu bien lu ?

1 Où les Troyens en fuite doivent-ils se rendre ? Dans le temple de :
☐ Vénus   ☐ Cérès   ☐ Diane.

2 Pourquoi Créuse ne peut-elle quitter Troie ?

3 Qui Énée emporte-t-il sur son dos ?

Un long et périlleux voyage...

4 Reconstitue les étapes du voyage d'Énée en complétant le tableau.

Lieux	Péripéties	Actions conséquentes d'Énée
En	Fondation d'une ville empêchée par un crime : Énée entend l'ombre de Polydore, fils de Priam, tué par le roi Polymestor.	Donner une .... à Polydore et partir pour ....
À Délos	Consultation du dieu .... et méprise d'Anchise sur la destination.	Partir pour la Crète.
En	Fondation de Pergame puis .... Apparition des dieux pénates qui annoncent que la terre à trouver est l'................	Reprendre la ....
Dans les Strophades	Combat contre les .... Prophétie de Céléno.	Faire escale à Actium.
À Buthrote	Hospitalité du roi et devin .... Entrevue avec ...., veuve d'Hector.	Reprendre la ....

5 Dans le récit de la tempête, l. 742 à 755, relève :
– le champ lexical de la navigation ;
– une comparaison qui souligne l'impuissance des bateaux face à la mer.

6 Pourquoi les Harpies sont-elles des créatures infernales et repoussantes ?
Justifie ta réponse par un relevé de termes précis.

... voulu par les dieux

7 Quel prodige décide Anchise à quitter Troie ?

8 Que prophétise la Harpie Céléno ?

9 Retrouve et complète les paroles du devin Hélénus par des noms de
divinités :
................., le ...., conduit ainsi le cours des destins. Mais pour le
reste, les trois ...., ... ne veulent pas qu'Hélénus le sache.
.... leur interdit de le dire. Invoque ...., il t'aidera.

10 Selon les prophéties d'Hélénus :
a. quel signe annoncera à Énée qu'il est parvenu à destination et peut
fonder sa ville ?
b. quel monstrueux danger guette les marins dans le détroit de Sicile ?

La langue et le style

11 Dans la description des monstres marins Charybde et Scylla, relève :
– les verbes qui expriment la menace qu'ils représentent ;
– les groupes nominaux qui décrivent l'aspect monstrueux de Scylla.

Faire le bilan

12 Après avoir revu la définition de l'épopée et en t'appuyant
sur tes réponses précédentes, explique en quoi l'*Énéide* est un récit
d'aventures épique.

À toi de jouer

13 Fais une recherche sur l'un des monstres mythologiques suivants :
un centaure, la Chimère, une Gorgone ou Échidna. Imagine le récit
du combat d'Énée contre ce monstre. Avant de raconter le combat,
tu décriras le monstre.

Étape 3 • Analyser le comportement d'Énée face au malheur

SUPPORT • Chapitre 5

OBJECTIF • Mettre en évidence les caractéristiques du héros épique.

As-tu bien lu ?

1 Quels êtres monstrueux menacent Énée et ses compagnons en Sicile ?

2 Qui est Achéménide ?
- ☐ un devin
- ☐ un ancien compagnon d'Ulysse
- ☐ un roi

3 Par quel désastre Énée et ses compagnons sont-ils séparés ?

De douloureuses épreuves

4 **a.** Pourquoi Énée et ses compagnons doivent-ils s'éloigner de la côte où ils voient « quatre chevaux blancs » ?

b. Explique l'expression qui les désigne comme « un présage (…) de mauvais augure » (l. 1031-1032).

5 De quel effrayant phénomène – pourtant naturel – Énée et ses compagnons sont-ils témoins ?

6 En quoi les Cyclopes sont-ils monstrueux et dangereux ? Justifie ta réponse par un relevé de termes précis.

7 Comment Énée réagit-il à la mort d'Anchise ? Justifie ta réponse par un relevé de termes précis.

Un véritable héros

8 **a.** Comment Énée appelle-t-il ses compagnons ?

b. Relève trois phrases exclamatives par lesquelles Énée encourage ses compagnons.

a. Quels ordres Énée donne-t-il à ses marins face aux cyclopes, à Charybde et Scylla, et à la tempête ?

	... aux cyclopes	... à Charybde et Scylla	... à la tempête
Ordres d'Énée à ses marins face...	....	....	....
	....	....	....
	....	....	....
	....	....	....
	....	....	....
	....	....	....
	....	....	....

b. De quelles qualités fait-il alors preuve ?

10 Quelles actions d'Énée manifestent sa piété : envers son père ? envers les dieux ?

La langue et le style

11 Énée emploie le mode impératif lorsqu'il s'adresse à ses compagnons (« Ramez » l. 1121, « Tendez vos voiles » l. 1137, « N'ayez pas peur » l. 1 282, « Ne soyez pas tristes » l. 1306).

a. Trouve d'autres exemples de verbes conjugués à ce mode.

b. Qu'est-ce que ce mode permet d'exprimer ?

Faire le bilan

12 En reprenant tes réponses précédentes, rédige un paragraphe montrant qu'Énée est un héros courageux, prudent, à la fois pieux et sensible.

À toi de jouer

13 Une oraison funèbre est un discours que l'on prononce en l'honneur d'un mort et qui évoque ses qualités. Imagine celle qu'Énée prononcerait pour Anchise.

Étape 4 • Observer la rencontre amoureuse entre Didon et Énée

SUPPORT • Chapitre 6

OBJECTIF • Caractériser la rencontre amoureuse et en percevoir la dimensio. tragique.

As-tu bien lu ?

1 Quelle apparence Vénus prend-elle pour parler à son fils ?
- ☐ une vieille mendiante
- ☐ une servante de Didon
- ☐ une jeune chasseresse

2 Que font les Tyriens lorsqu'Énée arrive en Libye ?
- ☐ Ils bâtissent la ville de Carthage.
- ☐ Ils construisent un temple à Junon.
- ☐ Ils s'apprêtent à combattre les Libyens.

3 Qui Vénus envoie-t-elle sous les traits d'Ascagne auprès de Didon ?

4 Quel dieu rappelle à Énée qu'il faut quitter Carthage ?

La rencontre amoureuse

5 Quelle œuvre d'art montre à Énée et Achate que Didon connaît la guerre de Troie ?

6 Par quel prodige Vénus fait-elle apparaître Énée à Didon dans toute sa splendeur ? Retrouve ce passage précis et relève les adjectifs qui caractérisent Énée.

7 Dans le passage « La reine Didon est amoureuse [...] Sychée, mon premier amour » (l. 1 580 à 1 592), relève les mots et les expressions qui montrent que Didon est amoureuse d'Énée.

8 Quelles circonstances permettent à Énée et Didon de se retrouver seuls ?

Une issue fatale

9 Que fait Énée lorsque Mercure vient le voir ? Quelle est alors sa réaction ?

10 Quand Énée et Didon s'expliquent, deux discours s'opposent. Complète le tableau suivant afin de comprendre pourquoi cet amour est impossible.

Raisons d'Énée pour justifier son départ	Risques encourus par Didon si Énée part
....	....
....	....

11 Dans quel état se trouve Didon ? Justifie ta réponse en relevant le champ lexical de la douleur.

12 a. Quels présages annoncent sa mort à Didon ?
   b. Comment se donne-t-elle la mort ?

La langue et le style

13 Que signifie l'adjectif qualificatif « funèbre » ? Trouve deux mots de la même famille.

14 Étudie le lexique des sentiments : note des adjectifs et les noms de même famille.

Adjectifs qualificatifs	Noms communs
désespérée	le ....
....	la folie
....	la souffrance
pâle	la ....

Faire le bilan

15 En t'appuyant sur tes réponses précédentes, explique pourquoi l'amour d'Énée et de Didon est impossible et douloureux pour la reine.

À toi de jouer

16 Imagine puis rédige ou dessine le portrait de la belle reine Didon.

Étape 5 • Étudier le rôle des dieux dans le récit

SUPPORT • Le récit entier

OBJECTIFS • Comprendre la relation entre les hommes et les dieux dans l'épopée antique.

As-tu bien lu ?

1 Quelles sont les deux déesses qui haïssent les Troyens ?
☐ Vénus et Diane ☐ Minerve et Junon ☐ Minerve et Vénus

2 Vénus est la déesse de :
☐ la chasse ☐ la guerre ☐ l'amour

3 Quel dieu joue le rôle de messager de Jupiter ?

4 Quel dieu, à Délos, annonce à Énée qu'il doit s'installer sur « la terre de ses ancêtres » ?

Dieux vengeurs...

5 **a.** Pour quelle raison Junon hait-elle Énée et les Troyens ?
b. Pour quelle raison consent-elle au mariage d'Énée et de Didon ? Pense aux conséquences de ce mariage sur le destin d'Énée.

6 Quel monstre prophétise aux Troyens qu'ils subiront la faim et mangeront leurs tables ?

7 **a.** Quel roi, sur l'ordre de Junon, lâche les vents qu'il tient en son pouvoir ?
b. Quelle conséquence cela a-t-il pour Énée et ses compagnons ?

8 Quel dieu est responsable de la mort de Palinure ? Rappelle les circonstances de sa mort.

... ou secourables

9 Cite trois prodiges accomplis par Vénus à Carthage pour aider son fils.

10 Quel dieu apaise la tempête qui a poussé Énée vers la Libye ?

1 Quel est le rôle des dieux pénates dans le récit ?

2 Quel dieu, prié par Vénus, se révèle être le maître du destin ?

La langue et le style

3 a. Relis les paroles de Vénus à Jupiter (début chapitre 6, p. 66). Quelles sont les deux formules par lesquelles elle s'adresse à son père en évoquant sa puissance ? En quoi leurs constructions sont-elles semblables ? Analyse la fonction des mots et groupes de mots présents dans ces deux propositions. Complète ce tableau pour répondre.

Formule	Construction	Fonction des mots et groupes de mots
1.		
2.		

b. Quel ton et quelle attitude Vénus a-t-elle pour attendrir et convaincre son père ? Justifie ta réponse en nommant les types de phrases qu'elle emploie et en relevant des expressions précises.

Faire le bilan

14 Complète le texte à trous à l'aide des mots suivants afin de comprendre le rôle essentiel des dieux dans l'épopée.

Pénates – dieux – Vénus – opposants – personnages – adjuvants.

Dans l'épopée, les .... sont des .... au rôle essentiel. ...., ils aident le héros par leurs interventions ou leurs révélations : ainsi .... ou les dieux .... pour Énée. Ce sont aussi de redoutables .... lorsqu'ils imposent au héros malheurs et épreuves.

À toi de jouer

15 Fais une recherche sur la divinité de ton choix. Mets-toi dans la peau de cette divinité et écris un texte qui te présentera (parents, fonctions, attributs, légendes) et qui manifestera ta puissance (pouvoirs, sanctuaires de prédilection).

Étape 6 • Lire la descente aux Enfers

SUPPORT • Chapitre 8

OBJECTIF • Comprendre la dimension prophétique de cet épisode.

As-tu bien lu ?

1 Pourquoi Énée veut-il se rendre aux Enfers ?

2 Quel objet Énée doit-il se procurer pour entrer dans les Enfers ?

3 Comment se nomme le passeur qui fait traverser le Styx ?
☐ Charon   ☐ Cerbère   ☐ Misène

4 Comment la Sibylle endort-elle Cerbère ?

Au royaume des morts

5 Les Enfers sont « le royaume qui n'a pas de chemin pour les vivants » (l. 2133). Explique cette expression en t'appuyant sur les paroles de la Sibylle.

6 Dans la description de l'entrée des Enfers, l. 2162 à 2179), relève les adjectifs et les groupes de mots qui complètent les noms suivants.
une caverne : .... ; une bouche : .... ; un lac : .... ; l'antre : .... ; les palais : ....

7 Quel sort est réservé aux morts privés de sépulture ? Quel compagnon d'Énée en fait partie ?

8 Complète le tableau suivant.

Habitants des Enfers	Lieux infernaux
« Les Deuils, les Soucis [...] la Discorde »	....
« Êtres terribles » et « monstres sifflants »	....
Charon	....
Cerbère	....
Didon, « ceux que l'amour a tués »	....
Tisiphone, les criminels	....

Les bienheureux	....
Anchise	....

La prophétie d'Anchise

9 **a.** Quelle est la réaction d'Anchise à la vue d'Énée ?

b. Quel geste Énée désire-t-il faire envers son père ? Le peut-il ? Pourquoi ?

10 **a.** Que font les âmes qu'Anchise montre à Énée près du fleuve Léthé ?

b. Qui Anchise veut-il présenter à son fils ?

11 Complète l'identité des personnages nommés par Anchise :
Sylvius : .... ; Procas : .... ;
Romulus : .... ; César : ....

12 D'après la prophétie d'Anchise, que va accomplir César et que va affronter Énée ?

La langue et le style

13 Dans la description du Tartare (l. 2299 à 2307), relève les adjectifs qualificatifs et les noms qu'ils complètent. Quelle impression se dégage de ce lieu ?

14 Dans la description de l'Élysée, relève les compléments circonstanciels de lieu. Quelle impression se dégage de cette description ?

Faire le bilan

15 Aux Enfers, Énée reçoit des révélations exceptionnelles. Rappelle quelles sont ces révélations et explique en quoi elles constituent une récompense de la piété du héros.

À toi de jouer

16 Énée à sa mort arrive aux Enfers. Il retrouve son père et son épouse Créuse. Imagine ce dialogue où le héros va leur raconter ce qu'il a accompli en Italie et la façon dont il est mort. Aide-toi de ce que dit Anchise et de la première partie des « Repères ».

Étape 7 • Exploiter les éléments de l'enquête

SUPPORT • Le récit entier et l'enquête

OBJECTIF • Comprendre comment Rome a dominé le monde et comment l'épopée justifie cette domination.

As-tu bien lu ?

1 Relie chaque fondateur à sa ville.

Ascagne-Iule •   • Rome

Énée •   • Albe-la-longue

Romulus •   • Lavinium

2 Les guerres puniques opposent les Romains :

☐ aux Gaulois   ☐ aux Carthaginois   ☐ aux Grecs

3 Quel pays Jules César a-t-il conquis en 52 avant J.-C. ?

Une ville née pour être puissante

4 De quelle façon connaît-on l'habitat des premiers Romains ?

5 Pourquoi une louve est-elle le symbole de la ville de Rome ?

6 D'après l'*Énéide*, Énée est le héros fondateur du peuple romain dont les origines sont glorieuses. Complète les affirmations suivantes.

– Le peuple romain a des origines troyennes car Énée ....

– Le peuple romain a des origines divines car Énée ....

– Rome a été fondée par .... fils du dieu ....

– Ascagne Iule a donné son nom à la famille de .... conquérant de la Gaule, et de son héritier, ... premier empereur de Rome.

De glorieux conquérants

7 Numérote dans l'ordre chronologique de leur conquête les pays suivants :

☐ Espagne   ☐ Italie   ☐ Grande-Bretagne   ☐ Gaule

8 Pour quelle raison Romains et Carthaginois se sont-ils affrontés ?

9 Quel pays conquis par Rome a « conquis son farouche vainqueur » dans les domaines scientifiques et culturels ? Cite des exemples de cet héritage.

10 De quelles réalisations techniques et architecturales romaines peut-on encore voir des vestiges aujourd'hui ?

La langue et le style

11 Les Romains ont hérité des Grecs un certain nombre de mots techniques. Complète le tableau suivant par des mots français issus de ces termes.

Mots grecs	Mots latins	Mots français
theatron	theatrum	....
gramma	grammaticus	....
cyclos	cyclus	....
mousikè	musica	....
naus	navis	....

Faire le bilan

12 Comment l'*Énéide* justifie-t-elle la domination romaine ? Complète le texte avec les mots suivants : Méditerranée – Didon – Énée – Grecs – pieux – voyage – Carthaginois – Vénus – Romains – dieux.
........................, ancêtre des Romains, est un héros glorieux de la guerre de Troie. La carte de son .... correspond à l'espace de la mer .... conquis par les Romains, rivaux des .... descendants de la reine........................ . ..., Énée honore son père et les ....

À toi de jouer

13 Tu es un(e) Gaulois(e) en visite à Rome. Dans une lettre à un(e) ami(e), décris la ville en insistant sur l'étonnement et/ou l'émerveillement que tu ressens à la vue des monuments et des coutumes des Romains. Tu peux, au préalable, faire une recherche sur la ville de Rome et ses monuments au temps de Jules César.

Représentations de l'au-delà : groupement de documents

OBJECTIF • Comparer les représentations de l'au-delà dans l'Antiquité et de nos jours.

DOCUMENT 1 🐟 HOMÈRE, *Odyssée*, chant XI, vers 367 et suivants, traduction adaptée de Leconte de Lisle.

Ulysse a invoqué l'ombre du devin Tirésias afin de connaître son destin. D'autres ombres viennent à lui et lui racontent leurs malheurs. Il évoque enfin ceux qu'il voit dans les Enfers.

Et je vis Minos, l'illustre fils de Zeus, et il tenait un sceptre d'or, et, assis, il jugeait les morts. Et ils s'asseyaient et se levaient autour de lui, pour défendre leur cause, dans la vaste demeure d'Hadès.

Puis, je vis le grand Orion[1] chassant, dans la prairie d'asphodèle, les
5 bêtes fauves qu'il avait tuées autrefois sur les montagnes sauvages, en portant dans ses mains la massue d'airain qui ne se brisait jamais. Puis, je vis Tityos, le fils de l'illustre Gaia, étendu sur le sol et long de neuf arpents. Et deux vautours, des deux côtés, fouillaient son foie avec leurs becs ; et, de ses mains, il ne pouvait les chasser ; car, en
10 effet, il avait outragé par violence Léto, l'illustre concubine de Zeus, comme elle allait à Pythô, le long du riant Panope.

Et je vis Tantale, subissant de cruelles douleurs, debout dans un lac qui lui baignait le menton. Et il était là, souffrant la soif et ne pouvant boire. Toutes les fois, en effet, que le vieillard se penchait, dans son
15 désir de boire, l'eau décroissait absorbée, et la terre noire apparaissait autour de ses pieds, et un Démon la desséchait. Et des arbres élevés laissaient pendre leurs fruits sur sa tête, des poires, des grenades, des oranges, des figues douces et des olives vertes. Et toutes les fois que le

---

1. **Orion** : dans la mythologie grecque, chasseur géant qui mourut piqué par un scorpion et fut transformé en constellation.

20 vieillard voulait les saisir de ses mains, le vent les soulevait jusqu'aux nuées sombres.

Et je vis Sisyphe subissant de grandes douleurs et poussant un immense rocher avec ses deux mains. Et il s'efforçait, poussant ce rocher des mains et des pieds jusqu'au faîte d'une montagne. Et quand il était près d'atteindre ce faîte, alors la force lui manquait,
25 et l'immense rocher roulait jusqu'au bas. Et il recommençait de nouveau, et la sueur coulait de ses membres, et la poussière s'élevait au-dessus de sa tête.

DOCUMENT 2 🖋 OVIDE, *Métamorphoses*, livre X, 11 et suivants (extraits), traduction adaptée de G.T. Villenave.

Le poète Orphée, fils du roi de Thrace Œagre et de la muse Calliope, a perdu sa femme Eurydice. Il descend aux Enfers pour la ramener sur terre.

Après avoir longtemps imploré par ses pleurs les divinités de l'Olympe, le chantre du Rhodope osa franchir les portes du Ténare, et passer les noirs torrents du Styx, pour fléchir les dieux du royaume des morts. Il marche à travers les ombres légères, fantômes errants
5 dont les corps ont reçu les honneurs du tombeau. Il arrive au pied du trône de Proserpine et de Pluton, souverains de ce triste et ténébreux empire. Là, unissant sa voix plaintive aux accords de sa lyre, il fait entendre ces chants : « Divinités du monde souterrain où descendent successivement tous les mortels, souffrez que je laisse
10 les vains détours d'une éloquence trompeuse. Ce n'est ni pour visiter le sombre Tartare, ni pour enchaîner le monstre à trois têtes, né du sang de Méduse, et gardien des Enfers, que je suis descendu dans votre empire. Je viens chercher mon épouse. La dent d'une vipère me l'a ravie au printemps de ses jours. [...] rendez-moi mon Eurydice ;
15 renouez le fil de ses jours trop tôt par la Parque coupé. Les mortels vous sont tous soumis. Après un court séjour sur la terre un peu

plus tôt ou un peu plus tard, nous arrivons dans cet asile ténébreux ; nous y tendons tous également ; c'est ici notre dernière demeure. Vous tenez sous vos lois le vaste empire du genre humain. Lorsque
20 Eurydice aura rempli la mesure ordinaire de la vie, elle rentrera sous votre puissance. Hélas ! c'est un simple délai que je demande ; et si les Destins s'opposent à mes vœux, je renonce moi-même à retourner sur la terre. Prenez aussi ma vie, et réjouissez-vous d'avoir deux ombres à la fois. »

25 [...] Ni le dieu de l'empire des morts, ni son épouse, ne peuvent résister aux accords puissants du chantre de la Thrace. Ils appellent Eurydice. Elle était parmi les ombres récemment arrivées au ténébreux séjour. Elle s'avance d'un pas lent, retardé par sa blessure. Elle est rendue à son époux : mais, telle est la loi qu'il reçoit : si, avant d'avoir franchi
30 les sombres détours de l'Averne, il détourne la tête pour regarder Eurydice, sa grâce est révoquée ; Eurydice est perdue pour lui sans retour.

À travers le vaste silence du royaume des ombres, ils remontent par un sentier escarpé, tortueux, couvert de longues ténèbres. Ils
35 approchaient des portes du Ténare. Orphée, impatient de crainte et d'amour, se détourne, regarde, et soudain Eurydice lui est encore ravie.

Le malheureux Orphée lui tend les bras, il veut se jeter dans les siens : il n'embrasse qu'une vapeur légère. Eurydice meurt une seconde fois,
40 mais sans se plaindre ; et quelle plainte eût-elle pu former ? Était-ce pour Orphée un crime de l'avoir trop aimée ! Adieu, lui dit-elle d'une voix faible qui fut à peine entendue ; et elle rentre dans les abîmes du trépas.

[...] En vain le chantre de la Thrace veut repasser le Styx et fléchir
45 l'inflexible Charon. Toujours refusé, il reste assis sur la rive infernale, ne se nourrissant que de ses larmes, du trouble de son âme, et de sa douleur. Enfin, las d'accuser la cruauté des dieux de l'Érèbe, il se retire sur le mont Rhodope, et sur l'Hémus battu des Aquilons.

DOCUMENT 3 *Héraclès amenant Cerbère à Eurysthée*, hydrie ionienne à figures noires attribuée au Peintre des Aigles, 530-520 av. J.-C. Paris, musée du Louvre.

La capture de Cerbère représente le dernier des douze travaux d'Héraclés.

DOCUMENT 4
« Touffu, le chien à trois têtes », photographie du film *Harry Potter à l'école des sorciers*, réalisé par Chris Columbus en 2001.

Le chien à trois têtes est le cerbère de Poudlard, chargé de protéger la pierre philosophale.

As-tu bien lu ?

1 Quel héros invoque les morts dans le document 1 ?

☐ Énée ☐ Ulysse ☐ Héraclès

2 Pour quelle raison Orphée descend-il aux Enfers dans le document 2 ?

☐ pour enlever Proserpine
☐ pour ramener Eurydice
☐ pour rejoindre Eurydice

3 **a.** Comment se nomme le dieu des Enfers chez les Grecs ? (document 1)

b. Chez les Romains ? (document 2)

Au royaume des morts

Document 1

4 **a.** Quel est le rôle de Minos aux Enfers ?

b. Quel objet symbolise cette fonction ?

5 **a.** Dans quel lieu des Enfers Orion se trouve-t-il ?

b. Qu'y fait-il ?

6 **a.** Par quelle expression répétée Ulysse présente-t-il ceux qu'il observe aux Enfers ?

b. Afin de connaître les châtiments réservés aux grands criminels, complète le tableau suivant par des extraits de phrases du texte.

Criminels	Châtiments subis
Tityos	....
....	....
Tantale	....
....	....
Sisyphe	....
....	....

7 Recherche ce que signifie l'expression « un supplice de Tantale » (aide-toi d'un dictionnaire des expressions ou d'internet).

Document 2

8 Par quel moyen Orphée parvient-il à convaincre le dieu des Enfers et son épouse de lui rendre Eurydice ?

9 Relève les expressions qui décrivent les Enfers comme un lieu effrayant.

10 Pour quelle raison Orphée ne peut-il ramener Eurydice sur terre ?

Lire les images

11 a. Décris précisément le monstre tel qu'il apparaît :
– dans le document 3 : ....
– dans le document 4 : ....

b. Explique, pour chaque représentation, en quoi le monstre à trois têtes est effrayant.

12 Quels sont les deux éléments du document 4 qui contribuent à adoucir l'image du monstre ?

Faire le bilan

13 En t'appuyant sur tes réponses précédentes, explique comment les Grecs et les Romains imaginaient l'au-delà qu'ils nommaient les Enfers.

À toi de jouer

14 Fais une recherche sur Cerbère : ses origines, son rôle aux Enfers, les légendes dans lesquelles il apparaît. Présente ton travail sous forme de dossier que tu illustreras de documents iconographiques trouvés sur internet.

Rome est à l'origine une toute petite cité établie sur une colline près du Tibre. D'abord gouvernée par des rois, elle devient une république.
Les Romains mènent des guerres qui vont leur permettre d'établir leur puissance.
Ils développent une civilisation qui influence les territoires conquis. À l'époque de Virgile, après des décennies de troubles et de guerres civiles, Octave devient le premier empereur de Rome. Le « siècle d'Auguste » inaugure l'Empire, qui va durer près de cinq cents ans.

Comment Rome a-t-elle dominé le monde ?

Comment Rome a-t-elle été fondée ?

La légende de la fondation de Rome est particulièrement connue et ce mythe fondateur est si fort qu'une louve allaitant deux bébés est encore aujourd'hui le symbole de la ville de Rome.

● ÉNÉE, FONDATEUR DE LAVINIUM

À son arrivée dans le Latium, Énée est accueilli par le roi Latinus qui lui donne sa fille Lavinia pour épouse. Mais un prétendant de Lavinia, Turnus, roi des Rutules, attaque. Énée s'allie à Evandre, roi de Pallantée, et au peuple étrusque de Caeré qui a chassé son roi Mézence. Énée tue Mézence puis Turnus. Il fonde la cité de Lavinium, du nom de sa femme.

● LA FONDATION DE ROME

C'est l'historien romain Tite-Live qui nous rapporte la suite de la légende. Le fils d'Énée, Ascagne-Iule, a fondé Albe-la-longue. Après les règnes de douze rois, le trône échoit à Numitor. Cependant son frère Amulius le chasse, prend le pouvoir et fait de sa nièce Rhéa Silvia (ou Ilia) une vestale[1] afin qu'elle n'ait pas de descendant. Mais le dieu Mars s'unit à la jeune femme qui enfante deux jumeaux : Romulus et Rémus. Abandonnés par leur oncle, ils sont allaités par une louve puis élevés par un berger. Devenus adolescents, ils chassent Amulius et rendent le

La louve de Rome.
Rome, musée de la civilisation romaine.

1. Une vestale est une prêtresse de la déesse romaine du Foyer Vesta ; elle doit rester chaste.

trône à leur grand-père. À leur tour, ils vont fonder une ville. Après avoir pris les augures et tué son frère, Romulus fonde sur le mont Palatin la ville de Rome (753 avant J.-C.) dont il est le premier roi.

● LA NAISSANCE DE ROME

Les archéologues ont trouvé dans des tombes situées sur le mont Palatin des urnes cinéraires[2] en forme de maisons qui nous donnent une idée de l'aspect des huttes dans lesquels vivaient les premiers habitants de Rome au Xe-VIIIe siècle avant J.-C.

Urne cinéraire étrusque en forme de hutte. Rome, musée étrusque de la Villa Giulia.

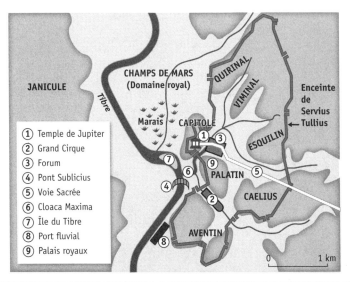

JANICULE

CHAMPS DE MARS (Domaine royal)

QUIRINAL

VIMINAL

Tibre

Marais **CAPITOLE**

Enceinte de Servius Tullius

ESQUILIN

① Temple de Jupiter
② Grand Cirque
③ Forum
④ Pont Sublicius
⑤ Voie Sacrée
⑥ Cloaca Maxima
⑦ Île du Tibre
⑧ Port fluvial
⑨ Palais royaux

PALATIN

CAELIUS

AVENTIN

0   1 km

2. Une urne cinéraire (ou funéraire) est un vase fermé contenant les cendres d'un défunt après sa crémation.

Carte de la Rome royale (753-509 avant J.-C.).

Ce sont les Étrusques, peuple du nord de l'Italie, à la civilisation déjà très développée, qui vont faire de Rome une véritable cité. Ils conquièrent la région et fédèrent les villages. La ville se développe autour d'une grande place publique pavée, le forum. Au VIᵉ siècle avant J.-C., elle est dotée de remparts, attribués au roi étrusque Servius Tullius, qui englobent les sept collines de Rome, et d'un réseau d'égouts et de canalisations (*Cloaca Maxima*).

L'enlèvement des Sabines

Tite-Live rapporte cet épisode : Romulus, chef d'un peuple d'hommes sans épouses, aurait invité leurs voisins sabins à assister à des jeux. Les Romains profitent de cette occasion pour s'emparer des jeunes sabines. Plus tard, les Sabins attaquent les Romains afin de se venger mais les femmes, devenues épouses et mères de Romains, s'interposent entre les deux peuples qui reconnaissent le lien qui existe désormais entre eux. Le roi des Sabins, Titus Tatius, règne aux côtés de Romulus.

L'enlèvement des Sabines, Jacques Louis David, 1799. Paris, musée du Louvre.

Comment Rome a-t-elle conquis un empire ?

Les Romains, par des guerres ou des alliances avec les peuples voisins, conquièrent l'Italie, mais leur ambition ne s'arrête pas là. Après les îles de la Méditerranée occidentale et l'Espagne, leur volonté de conquête se tourne vers la Grèce et l'Orient, l'Europe et l'Afrique.

● LA CONQUÊTE DE L'ITALIE

Du VIe au IVe siècle avant J.-C., le peuple de Rome combat en Italie des peuples voisins : Latins, Volsques, Eques, Sabins, Étrusques, Samnites. En 390 avant J.-C., des Gaulois pillent Rome. La cité, traumatisée, ne se contente plus de se défendre et entame son expansion en Italie. Au IVe siècle, les guerres lui permettent de s'imposer. Au IIIe siècle, les Romains dominent presque toute l'Italie.

● MAÎTRES DE LA MÉDITERRANÉE

Mais ils s'inquiètent des ambitions de la puissante Carthage (Numidie, Tunisie actuelle) qui veut régner sur la Méditerranée, qu'il est stratégique de dominer. Les deux peuples

Les guerres puniques

*Le terme latin **Poeni**, qui désigne les Carthaginois, semble venir d'un autre mot latin, **Phoenici**, « Phéniciens » — habitants de la Phénicie (Liban actuel) et ancêtres des Carthaginois, comme le rappelle la légende de Didon. Les guerres puniques sont au nombre de trois : 264–241 av. J.-C., 218–202 av. J.-C., et 149–146 av. J.-C. La deuxième oppose une illustre famille de généraux romains, les Scipion, au chef carthaginois, le célèbre Hannibal, qui a fait traverser les Alpes à son armée accompagnée d'éléphants ! La dernière guerre marque la fin de Carthage.*

s'affrontent lors des guerres puniques (264-146 avant J.-C.) qui s'achèvent par la victoire de Rome et la destruction de Carthage. Rome étend alors sa domination sur une grande partie de la Méditerranée : les îles de la Méditerranée (Sicile, Corse, Sardaigne) et l'Hispanie (Espagne), que Carthage dominait, deviennent romaines.

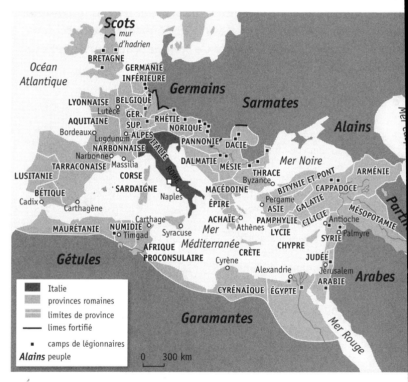

Carte de l'Empire romain au IIe siècle après J.-C.

1. L'Illyrie est un royaume des côtes de la rive orientale de l'Adriatique.
2. L'Asie Mineure est la péninsule située à l'extrémité occidentale de l'Asie.

3. La Macédoine antique correspond à peu près au nord-est de la Grèce actuelle.

● CONQUÉRANTS DU MONDE CONNU

Entre deux guerres puniques, la République romaine mène d'autres combats victorieux en Illyrie[1], en Asie Mineure[2], en Macédoine[3]. La Grèce est conquise en 146 avant J.-C. Puis, d'autres victoires confirment sa puissance en Afrique, dans le sud de la Gaule, en Judée, en Syrie, au Pont-Euxin[4]. En 58-52 avant J.-C., Jules César conquiert la Gaule tout entière, qui devient une province romaine.

● LES CONQUÊTES SOUS L'EMPIRE

À la suite d'Auguste, qui s'empare de l'Égypte après sa victoire contre Antoine et Cléopâtre (30 avant J.-C.), les empereurs de Rome se consacrent surtout au renforcement des frontières d'un empire devenu immense. Cependant, ils convoitent la Bretagne (Grande-Bretagne actuelle) et la Germanie contre lesquelles ils mènent d'éprouvants combats. À partir du IIIe siècle, l'empire devient trop difficile à maintenir : il est fragilisé par des révoltes et les premières invasions germaniques ; à Rome, le pouvoir impérial est instable. En 285-286, l'Empire est divisé en deux : l'Empire d'Occident gouverné depuis Rome, et l'empire d'Orient, dont la capitale est Byzance.

Buste de Jules César (100-44 av. J.-C.). Rome, palais Altemps.

4. Le Pont-Euxin se situe sur la côte méridionale de la mer Noire.

3 Quel héritage Rome a-t-elle reçu de la Grèce ?

Des colons grecs s'installent dans le sud de l'Italie dès le VIIIᵉ siècle avant J.-C. Très tôt, Romains et Grecs sont en contact, et dans de nombreux domaines les seconds apparaissent aux premiers comme un modèle à égaler.

● L'HÉRITAGE RELIGIEUX

Les premiers Romains ont leurs propres dieux : Liber, dieu de la vigne, Janus, dieu des passages, Faunus, dieu rustique protecteur des troupeaux, ou Quirinus, identifié à Romulus. Cependant, très tôt ils subissent l'influence des Grecs, installés dans le sud du pays et qui ont déjà élevé des temples à leurs divinités. Les Romains adoptent les dieux grecs et les légendes qui expliquent leur naissance et exaltent leur puissance : ainsi Jupiter est reconnu comme étant Zeus, Junon, comme Héra, Mars comme Arès... Les rites religieux des deux peuples se ressemblent : libations et sacrifices offerts aux dieux, pratique de la divination, construction de temples dont le modèle grec s'impose à Rome.

Zeus, sculpture de bronze attribuée au sculpteur Kalamis, 480-460 av. J.-C. Athènes, musée archéologique.

● SCIENCES ET TECHNIQUES

Dès le IIᵉ siècle avant J.-C., le grec s'impose comme la langue de la culture et est enseigné à l'école. Les familles riches envoient leurs fils étudier en Grèce.

Les Romains héritent des savoirs des Grecs : les disciplines intellectuelles, comme les mathématiques, la rhétorique, la philosophie, mais aussi l'architecture, s'étudient dans les traités et auprès de maîtres grecs.

Dans des domaines tels que la navigation ou l'art militaire, les Romains, particulièrement ingénieux, savent tirer parti des techniques développées par les Grecs. Ils adoptent par exemple la tactique guerrière de la phalange hoplitique : c'est une tactique de combat qui consiste à placer les soldats – *hoplites* en grec – en rangs serrés. Elle remplace l'ancien combat singulier.

● ARTS ET LITTÉRATURE

Les Romains ont très tôt une idée précise de l'art grec par les temples de la Grande Grèce et par les céramiques importées à Rome dès le VIIIᵉ siècle avant J.-C. Ainsi la statuaire romaine imite celle des Grecs : elle atteint son apogée à une époque où elle reproduit en marbre des statues grecques en bronze. L'originalité romaine tient au choix des sujets représentés.

La littérature grecque constitue également un modèle pour les auteurs latins : Homère inspire les poètes épiques ; Aristophane, les pièces comiques de Plaute, les tragédies influencent Sénèque et les poètes grecs sont imités par les auteurs Latins.

● ART DE VIVRE

La maison romaine s'agrandit : elle se dote d'un portique à péristyle[1] et d'un jardin. Les plus riches y font construire des bains.

La palestre, c'est-à-dire gymnase grec où les jeunes gens s'entraînent à la lutte et font du sport, apparaît à Rome.

La cena – repas du soir des Romains – subit l'influence du banquet grec : long, agrémenté de divertissements (musique, danse) et où l'on dîne couché sur une banquette. Les Étrusques déjà avaient adopté cette habitude.

---

1. Le péristyle est une colonnade formant une galerie autour ou à l'intérieur d'un édifice.

Graecia capta ferum victorem cepit et artes intulit agresti Latio

« La Grèce, soumise, soumit son farouche vainqueur et porta les arts au Latium sauvage ». Ce vers du poète romain Horace souligne le fait que les Grecs ont imposé leur culture, qui était supérieure à celle de Rome, pourtant victorieuse de la Grèce par les armes.

Scène de banquet, amphore attique à figures rouges. Université d'Oxford, Ashmolean Museum.

Comment les Romains ont-ils imposé leur mode de vie ?

Rome devient une capitale riche et ses monuments grandioses affirment sa suprématie. Toujours plus puissante, son empire s'étend dans les provinces : la romanisation est en marche.

● UNE ADMINISTRATION EFFICACE

Des hommes politiques romains, ayant souvent une expérience militaire, sont nommés pour gouverner les provinces. Dans chacune une administration est mise en place. Ces gouverneurs ont une escorte personnelle et une armée. Rome déploie ainsi un modèle politique et administratif qui favorise la stabilité politique et les échanges commerciaux. À Rome, des richesses affluent des quatre coins de l'Empire.

Vignette extraite de l'album *La Serpe d'Or, Astérix* de René Goscinny (scénario) et Albert Uderzo (dessin).

● D'IMPRESSIONNANTES CONSTRUCTIONS

Dans les provinces, on encourage la construction de villes sur le modèle des cités romaines, autour de deux axes, le *cardo* et le *decumanus*, et d'un forum.

Sont également construites des voies romaines qui quadrillent l'empire : larges et pavées, elles sont jalonnées de bornes milliaires[1] et favorisent les communications et le commerce. Les aqueducs, invention romaine, amènent l'eau dans les villes qui en consomment de plus en plus (thermes, fontaines).

● UNE QUALITÉ DE VIE SUPÉRIEURE

Les progrès techniques accomplis par les Romains leur ont apporté une qualité de vie qu'ils exportent dans l'empire, surtout dans les classes aisées. Là où s'élevaient des villages naissent de petites cités. La maison, jusque-là rudimentaire, devient plus grande et confortable, avec des pièces dédiées aux différentes activités de la famille. Les élites locales se font construire des maisons de style romain, qui s'agencent autour d'une vaste pièce principale

(*atrium*) dotée d'une ouverture dans le toit, avec un jardin. Les thermes permettent de se laver quotidiennement et le souci de l'hygiène se développe.

● UN MODE DE VIE SÉDUISANT

Les provinces découvrent une société qui fait une large place aux loisirs : les promenades sur le forum, les bains aux thermes, les spectacles comme les combats de gladiateurs deviennent accessibles à tous. Les élites imitent les mœurs raffinées des riches Romains : on s'habille, on dîne à la romaine. Les femmes se parent de tissus précieux[2] et se coiffent comme celles qui déjà, à Rome, font la mode !

Portrait d'une femme romaine au temps de Flavius, Ier siècle. Rome, musée Capitolini.

---

1. Une borne milliaire est une colonne en pierre marquant les distances sur les voies romaines, en milles romains (1 460 mètres environ).

2. Les Romains importent de la soie d'Extrême-Orient. Ce tissu léger, coloré et luxueux plaît beaucoup aux riches Romaines.

En quoi sommes-nous les héritiers des Romains ?

La civilisation romaine a joué un rôle essentiel dans la formation de l'Europe. Les modes de vie et de pensée des Romains ont laissé une forte empreinte jusqu'à notre époque.

● LA LANGUE FRANÇAISE, FILLE DE LA LANGUE LATINE

En Méditerranée occidentale, le latin, langue administrative et de culture, s'impose également aux peuples. Ainsi parlé, le latin donne naissance à d'autres langues : l'italien, bien sûr, mais aussi l'espagnol, le français, le portugais, le roumain. On les appelle les langues romanes. Leurs similitudes de structure et de lexique manifestent leur origine commune.

● UNE EUROPE FAÇONNÉE PAR LES CONQUÊTES ROMAINES

Les conquêtes romaines ont mis en place des structures que la fin de l'Empire romain (476 après J.-C.) n'anéantira pas et dont l'Europe continuera à tirer avantage. Voies de communication, ports, cités ont été utilisés bien après la conquête romaine. Certaines cultures développées par les Romains – l'olivier, la vigne – y perdurent encore. La diffusion de la culture romaine à travers les provinces conquises a créé une unité culturelle que les pays d'Europe de l'ouest reconnaissent encore aujourd'hui.

Les expressions latines en français

« Agenda », « mémento » sont des mots latins que nous utilisons couramment. Certaines expressions en latin appartiennent à la langue française : *sine die* (sans date précise), *manu militari* (par la force), *ad vitam aeternam* (pour l'éternité).

● LA PENSÉE DES ROMAINS

Les élites latinisées héritent des savoirs des Romains – qui leur transmettent aussi ce qu'ils ont appris des Grecs. L'art rhétorique[1] en est un bon exemple : codifié par les Grecs puis les Romains, étudié et développé au Moyen Âge, il perdure encore dans les études supérieures. Les peuples conquis ont gardé des structures politiques (comme le Sénat en France), des lois[2], des symboles romains. Le latin reste jusqu'au xxe siècle la langue scientifique : les espèces animales et végétales sont classifiées sous leur nom latin et, de nos jours, lorsqu'une espèce est découverte, on lui donne un nom latin.

Mur d'Hadrien construit par les Romains en 122. Grande Bretagne.

Des vestiges un peu partout

Pour marquer les frontières de leur empire, les Romains avaient construit un mur fortifié : le limes. *En Écosse, on voit encore le mur que fit élever l'empereur Hadrien et qui marque la limite septentrionale de l'empire. Des vestiges de théâtres, de temples, de villes sont visibles un peu partout en Europe et au-delà : Volubilis au Maroc, Leptis Magna en Lybie témoignent de la présence romaine il y a près de deux mille ans.*

Planche botanique, citron.

1. L'art rhétorique est l'art de l'éloquence, de bien parler, pour persuader un auditoire.

2. Il existe de nombreuses expressions juridiques latines qu'apprennent encore aujourd'hui les étudiants en droit.

Petit lexique de la mythologie gréco-romaine

Achille
Roi des Myrmidons. Farouche, il est le plus redoutable des guerriers achéens.

Bacchus
Dionysos chez les Grecs. Fils de Jupiter et de Sémélé, dieu de la vigne.

Cassandre
Fille de Priam et d'Hécube, aimée du dieu Apollon qui lui offrit le don de prophétie. Comme elle l'avait repoussé, il la condamna à ne jamais être crue. Ce qui fut le cas lorsqu'elle prédit la chute de Troie.

Calchas
Devin de l'armée grecque pendant la guerre de Troie.

Cérès
Déméter chez les Grecs. Sœur de Jupiter, déesse des moissons et de la fécondité de la terre.

Circé
Magicienne vivant dans l'île d'Ééa (en Colchide, sur la mer Noire) qui transforma les compagnons d'Ulysse en pourceaux.

Cupidon
Éros chez les Grecs. Fils de Vénus, dieu de l'Amour représenté sous les traits d'un enfant.

Dardanos
Fils de Zeus et d'Électra, fille du Titan Atlas, et ancêtre des rois de Troie.

Dédale
Architecte légendaire qui bâtit le labyrinthe dans lequel le roi de Crète, Minos, gardait le Minotaure enfermé.

Furies
Érinyes chez les Grecs. Filles de Gaia et du sang d'Ouranos, ces divinités punissent les criminels. Elles sont trois : Tisiphone, Alecto et Mégère.

Fortuna
Déesse latine incarnant le Sort, la Chance.

Gorgone
Il s'agit de Méduse, la plus célèbre des trois Gorgones, femmes monstrueuses à chevelure de serpents. Le regard de Méduse changeait en pierre quiconque la regardait. Tuée par le héros Persée, sa tête ornait le bouclier de Minerve.

Harpies	Oiseaux à visage de femme qui personnifient les vents violents, elles sont trois : Céléno, Aello et Ocypète.
Hector	Fils du roi Priam et le plus valeureux des guerriers troyens, tué par Achille.
Iasus	Frère de Dardanos.
Iris	Déesse de l'arc-en-ciel, messagère de Junon.
Junon	Héra chez les Grecs. Sœur et épouse de Jupiter, déesse du Mariage. N'ayant pas été choisie comme la plus belle des déesses par Pâris, fils de Priam, elle poursuit les Troyens – et Énée – d'une haine impitoyable.
Mercure	Hermès chez les Grecs. Fils de Jupiter et de Maïa, dieu des voyageurs, des voleurs et du commerce. Il est le messager de Jupiter.
Minerve	Athéna chez les Grecs. Fille de Jupiter, déesse de la Sagesse, des artisans et de la Guerre. Elle n'a jamais eu d'époux.
Neptune	Poséidon chez les Grecs. Frère de Jupiter, dieu des mers et des tremblements de terre, armé d'un trident.
Nymphes	Déesses jeunes et belles qui incarnent des éléments naturels (sources, arbres, montagnes).
Parques	Ce sont trois divinités représentées comme des vieilles femmes qui incarnent le Destin, symbolisé par un fil qu'elles font puis coupent.
Sirènes	Femmes à corps d'oiseaux dont le chant ensorcelle les marins, les conduisant à la mort.
Teucrus (ou Teucer)	Premier roi légendaire de Troie dont la fille épousa Dardanos.
Ulysse	Guerrier achéen, roi d'Ithaque. Il a combattu à Troie pendant dix ans et, réputé pour son ingéniosité, a eu l'idée du cheval de Troie. Il rentre chez lui après dix années d'errance et d'aventures périlleuses sur la mer.

Petit lexique littéraire

Adjuvant	Personnage qui constitue une aide pour le héros.
Aède	Dans la Haute Antiquité, poète qui composait et récitait, de palais en palais, de très longs poèmes épiques appris par cœur et qui s'accompagnait de musique.
Champ lexical	Ensemble de mots qui se rapportent à un même thème.
Dramaturge	Auteur de pièces de théâtre.
Épique	Qui se rapporte à l'épopée.
Épopée	Long poème en vers relatant les exploits d'un héros.
Famille de mots	Ensemble des mots formés sur le même radical.
Héros	À l'origine, c'est ainsi que les Grecs nomment un demi-dieu, né d'une divinité et d'un(e) mortel(le). Personnage doué de qualités exceptionnelles.
Hexamètre dactylique	Type de vers utilisé dans les épopées homériques et repris par Virgile dans l'*Énéide*.
Merveilleux	Ensemble de scènes, de lieux et de personnages surnaturels considérés comme naturels dans l'univers du récit épique.
Mythe	Récit fondateur très ancien et transmis oralement qui explique les origines du monde et de l'homme.
Narrateur	Celui qui raconte l'histoire.
Opposant	Personnage qui constitue un obstacle pour le héros.
Phrase (type de)	Selon ce qu'elle exprime, une phrase a un type particulier : déclarative, elle exprime un fait, une opinion. Interrogative, elle pose une question. Exclamative, elle exprime un sentiment. Injonctive, elle exprime un conseil ou un ordre.
Protagoniste	Personnage principal.

À lire et à voir

● **D'AUTRES RÉCITS ÉPIQUES**

Homère, Martine Laffon,
Les héros de l'Iliade
© LE LIVRE DE POCHE CLASSIQUE, 2009.

Homère,
L'Odyssée
COLL. « CLASSIQUES ET CIE », © HATIER, 2010.

Jean-Pierre Andrevon,
Les héros de la Rome antique
COLL. « CONTES ET LÉGENDES », © NATHAN, 2001.

Michel Laporte,
12 récits et légendes de Rome
COLL. « PÈRE CASTOR », © FLAMMARION 2011.

Jacques Cassabois,
Le premier roi du monde, l'épopée de Gilgamesh
© LE LIVRE DE POCHE JEUNESSE, 2008.

● DES BANDES DESSINÉES QUI SE DÉROULENT DANS L'ANTIQUITÉ

Jacques Martin et Gilles Chaillet,
Les Voyages d'Alix, Rome, la cité impériale
© DARGAUD, 1996.

Jacques Martin et Gilles Chaillet,
Les Voyages d'Orion, Rome, la cité impériale
© ORIX, 1993.

René Goscinny et Albert Uderzo,
Astérix le Gaulois
© HACHETTE, 2004 (1re édition 1961).

● DES OUVRAGES DOCUMENTAIRES

Lavinia, enfant de la Rome antique
© PICCOLIA, 2012.

P. Castejon et V. Desplanche,
Sur les traces des fondateurs de Rome
© GALLIMARD JEUNESSE, 2009.

S. Biesty et A. Solway,
Une journée dans la Rome antique
© GALLIMARD JEUNESSE, 2003.

Mélanie et Christopher Rice,
Pompéi, vie et destruction d'une cité romaine
© GALLIMARD JEUNESSE, 1999.

● DES FILMS INSPIRÉS DE L'ANTIQUITÉ

Jules César
De Joseph L. Manciewicz, 1953.

Les derniers jours de Pompéi
De Mario Bonnard, 1959.

Gladiator
De Ridley Scott, 2000.

Troie
De Wolfgang Petersen, 2004.

● DES SITES INTERNET À CONSULTER

http://mythologica.fr
   Pour connaître des mythes gréco-romains et du monde entier.

http://lemonderomain.free.fr
   Pour tester ses connaissances sur la civilisation romaine.

http://www.unicaen.fr/cireve/rome/
   Pour voir des reconstitutions virtuelles de sites et monuments romains.

Table des illustrations

Suivi éditorial : Brigitte Brisse
Principe de maquette : Marie-Astrid Bailly-Maître & Sterenn Heudiard
Mise en pages : Facompo
Iconographie : Hatier Illustration
Illustrations : Nathalie Ragondet
Cartographie/infographie : Domino

PAPIER À BASE DE FIBRES CERTIFIÉES

Hatier s'engage pour l'environnement en réduisant l'empreinte carbone de ses livres. Celle de cet exemplaire est de :

350 g éq. CO_2

Rendez-vous sur www.hatier-durable.fr

Achevé d'imprimer par Grafica Veneta à Trebaseleghe - Italie
Dépôt légal : 97825-8/01 - Avril 2014